INTERMÉDIALITÉS | INTERMEDIALITIES

HISTOIRE ET THÉORIE DES ARTS, DES LETTRES ET DES TECHNIQUES

HISTORY AN

NUMÉRO 4 | NUMBER

D0238899

Aimer

centre de recherche
sur l'intermédialité

Intermédialités est publiée avec le soutien du Centre de recherche sur l'intermédialité de l'Université de Montréal. Ce numéro a bénéficié de la collaboration du Musée d'art contemporain de Montréal.

Intermédialités publie deux numéros par année.

Prière d'adresser toute correspondance concernant la revue (manuscrits, abonnements, publicité, etc.) à :

Revue Intermédialités,
CRI, Université de Montréal
C.P. 6128, succursale Centre-ville,
Montréal (Québec) Canada H3C 3J7
Tél. (514) 343.2438 • Téléc. (514) 343.2393

Courrier électronique: intermedialites@umontreal.ca
Site Web: http://cri.histart.umontreal.ca/intermedialites

Image en couverture :
© Éric Dompierre, *Étreinte n° 17 (Les trente étreintes)*, 1997-1999 (détail)

intermédialités

Directeur
ÉRIC MÉCHOULAN, Université de Montréal — Collège international
de philosophie, Paris

Comité de rédaction
OLIVIER ASSELIN, Université de Montréal
PHILIPPE DESPOIX, Université de Montréal
JOHANNE VILLENEUVE, Université du Québec à Montréal

Secrétaire de rédaction et administrateur
ANDRÉ HABIB

Conception graphique
ÉTIENNE LAVALLÉE,
Presses de l'Université de Montréal

Mise en page
JEAN RENAUD

Correction des épreuves
ALEXANDRA LIVA

Infographie et conception du site Web
ANNE LARDEUX, ANDRÉ HABIB

Comité de lecture *
MARC-ANDRÉ BERNIER, Université du Québec à Montréal
MARCO BERTOZZI, Université de Rome
JAMES CISNEROS, Université de Montréal
LUCIE DESJARDINS, Université du Québec à Montréal
MARC FURSTENAU, Lancaster University
MADELEINE JEAY, McMaster University
PIERRE KUNSTMAN, University of Ottawa
JOHANNE LAMOUREUX, Université de Montréal
INES LINDER, collectif électronique « filiale », Berlin
TIM REISS, New York University
RICHARD SAINT-GELAIS, Université Laval
THOMAS WAUGH, Concordia University
BOB W. WHITE, Université de Montréal

* La composition du comité de lecture est déterminée en fonction
des textes qui apparaissent dans la revue.

Imprimeur

AGMV Marquis

Dépôt légal :
Bibliothèque nationale du Québec
Bibliothèque nationale du Canada

ISSN 1705-8546
ISBN 2-923144-02-3

Abonnement

Fides – Service des abonnements
358, boul. Lebeau
Saint-Laurent (Québec)
H4N 1R5 Canada
Tél. : (514) 745-4290
Téléc. : (514) 745-4299
courrier électronique : andres@fides.qc.ca

Vente en librairie

Distribution Fides
site Web : www.fides.qc.ca

Sommaire / Contents

Aimer
Loving

Présentation :
aimer – la technique

ÉRIC MÉCHOULAN

Malgré ses tours et ses détours, le verbe « aimer » pourrait apparaître comme un curieux sujet pour une revue s'intéressant à l'intermédialité : serions-nous devenus brutalement sentimentaux, prêts à soumettre la pureté de l'investigation scientifique ou l'incontournable matérialité des dispositifs techniques au bâillement indiscret de la littérature à l'eau de rose et des pastorales postmodernes? Si encore nous avions intitulé ce numéro « désirer », au moins aurions-nous pu récupérer les énergies tacites de la psychanalyse et des multiples pensées qui ont mis cette notion au cœur de leurs propos. Mais c'est peut-être justement ce décalage par rapport aux métamorphoses enchantées du désir qu'il valait la peine de souligner, en même temps que ce léger caractère désuet et naïf du verbe « aimer » dans notre monde si savant, puisqu'il rend obstinément dissemblables les configurations historiques dans lesquelles il prend son sens. Dans une certaine mesure, le désir n'a pas d'histoire, alors que l'amour, qui en mobilise l'énergie dans des figures de séduction, dans des usages de civilité ou dans des rituels de perversion, n'existe que dans et par l'histoire. C'est reconnaître qu'aimer est toujours une affaire de technique, depuis l'érudition minutieuse des corps dans les grandes manœuvres du sexe (dont la Chine et l'Inde anciennes ont fait de prodigieux traités) jusqu'aux mises en scène illusoires de l'amour-propre ou vertueuses de la charité, en passant par l'amour des signes dont la courtoisie médiévale, la galanterie classique, le roman réaliste et le cinéma contemporain, chacun à leur manière, ont fait un véritable *médium de communication*. Il faut, en effet, le souligner : aimer n'a rien de naturel, c'est une invention des hommes.

9

LE MYTHE DE LA TECHNIQUE

Afin de mieux appréhender comment la technique se glisse facilement sous les apprêts enchanteurs de l'amour, reprenons brièvement un mythe ancien — un mythe d'origine, comme tout mythe. C'est un sophiste qui parle sous l'allègre écriture de Platon dans un dialogue qui commence par une évocation des amours de Socrate :

> C'était le temps où les dieux existaient déjà, mais où les races mortelles n'existaient pas encore. Quand vint le moment marqué par le destin pour la naissance de celles-ci, voici que les dieux les façonnent à l'intérieur de la terre avec un mélange de terre et de feu et des substances qui se peuvent combiner avec le feu et la terre. Au moment de les produire à la lumière, les dieux ordonnèrent à Prométhée et à Épiméthée de distribuer convenablement entre elles toutes les qualités dont elles avaient été pourvues. Épiméthée demanda à Prométhée de lui laisser le soin de faire lui-même la distribution. […] Or Épiméthée, dont la sagesse était imparfaite, avait déjà dépensé, sans y prendre garde, en faveur des animaux [*aloga*], toutes les facultés [*dunameis*] dont il disposait et il lui restait encore à pourvoir l'espèce humaine pour laquelle, faute d'équipement, il ne savait que faire. Dans cet embarras, survient Prométhée pour inspecter le travail. Celui-ci voit toutes les autres races [*ta zôa*, les animaux] harmonieusement équipées et l'homme nu, sans chaussures, sans couvertures, sans armes. Et le jour marqué par le destin était venu, où il fallait que l'homme sortît de la terre pour paraître à la lumière. Prométhée, devant cette difficulté, ne sachant quel moyen de salut trouver pour l'homme se décide à dérober l'habileté artiste [*tèn entechnon sophian*] d'Héphæstos et d'Athéna et, en même temps, le feu — car, sans le feu, il était impossible que cette habileté fût acquise par personne ou rendît aucun service —, puis, cela fait, il en fit présent à l'homme. C'est ainsi que l'homme fut mis en possession des arts utiles à la vie [*peri ton bion sophian*][1].

La fable très connue du vol de Prométhée trouve donc son ancrage dans ce mythe : à la différence des animaux, tous bien pourvus de ce qui est nécessaire à leur existence, l'homme naît sans rien, et le savoir technique que Prométhée dérobe aux dieux assure seul sa conservation. Les animaux vivent grâce aux qualités qui leur ont été allouées ; les hommes survivent simplement par l'habileté technique. Le manque originel et le vol de Prométhée amènent en effet les hommes à reprendre à leur compte une connaissance des arts et du feu

---

1. Platon, *Protagoras*, trad. Alfred Croiset, introduction et notes Pierre-Marie Morel, Paris, Éditions Les Belles Lettres, 1997, p. 37-39, 320 c 7 – 321 d 4.

que seuls les dieux possédaient : la survie laborieuse des humains devient ainsi une forme de sur-vie, de gain primordial sur l'existence ordinaire des bêtes. Puisqu'il n'a pas reçu originellement les moyens indispensables à sa conservation, l'homme est un être qui vit nécessairement *au-dessus de ses moyens*. C'est bien cela que l'on nomme *technique*.

On peut remarquer l'effet d'insistance de Protagoras : *tèn entechnon sophian*. Il ne s'agit pas simplement d'un savoir technique qui est ainsi volé par Prométhée, mais d'une habileté générale aux techniques, un savoir de l'heureuse technique, peut-être même une sagesse technique (*sophia* est savoir, science, habileté, intelligence autant que sagesse). C'est cette science des bons moyens qui permet aux hommes de vivre par-delà leurs manques de moyens.

Du coup, le dénuement ou l'inachèvement de l'espèce humaine lui permet de partager de manière imprévue un peu de l'univers des dieux. En profitant de la technique volée à Athéna, les hommes reconnaissent qu'il existe des êtres supérieurs et leur expriment alors leur reconnaissance sous formes de rites religieux. Par « savoir technique », il faut en effet nous extirper de la seule dimension technologique de fabrication d'outils et d'objets nécessaires à la vie. Pour Protagoras, le premier élément qui découle du vol fait aux dieux, ce sont justement les techniques des rituels religieux ; le second tient à la voix et aux mots qui font cette fois la technique du langage (les animaux ne sont pas désignés seulement par le terme habituel *ta zôa*, mais aussi par *ta aloga*, les sans parole ou les sans raison) — autrement dit, il ne faut surtout pas opposer *technè* à *logos*, c'est l'heureuse sagesse technique qui ouvre à la race des hommes toute la dimension du langage et de la raison. Les outillages fabriqués et les produits cultivés ne viennent qu'après les honneurs rendus aux dieux et les discours échangés entre les hommes.

APARTÉ NÉOTÉNIQUE

Il est amusant de voir que la science contemporaine redécouvre, dans les origines de l'homme, l'immaturité mythique et l'ouverture à la technique dont parle Protagoras. Il existe, en effet, une espèce animale qui fascine les zoologues depuis plusieurs décennies : les axolotls. Ce sont des formes larvaires d'un batracien des plus communs du genre amblystone. Si on leur injecte certaines hormones thyroïdiennes, la mue se produit et ils changent leur délicate peau rose contre l'aspect plutôt révulsant de salamandres marbrées — mais il faut cette intervention humaine pour les faire échapper à leur état larvaire, comme s'ils étaient les échantillons rares d'un blocage infantile. Les scientifiques ont longtemps conçu cette fixation larvaire (respiration branchiale, peau d'un rose opalescent, mode de vie exclusivement aquatique) comme une régression dans le destin animal, explicable par certaines conditions d'existence (carence en iode des lacs des hauts plateaux mexicains dans lesquels vivent les axolotls, basses températures, altitude élevée). Mais tout se passe comme si leurs petites têtes triangulaires, mystérieusement aztèques, et leurs corps d'un rose obstiné se refusaient à devenir adultes. Sans donner à ce « refus » la teneur d'une volonté, cet arrêt dans l'évolution normale d'un banal batracien apparaît, pour les spécialistes, comme le résultat d'une inhibition endocrinienne (autrement dit, du système qui contrôle la production thyroïdienne, responsable de la mue).

Cependant, un tel blocage au stade larvaire ne suffit pas à constituer les axolotls en espèce animale, car il devrait avoir signé depuis longtemps leur disparition dans la lutte pour l'existence. Le plus fascinant de l'affaire ne tient pas simplement à la fixation à une phase infantile de leur développement, mais à leur capacité acquise de se reproduire. À la différence de toutes les espèces qui n'octroient le pouvoir de reproduction qu'aux adultes, les axolotls sont des bébés pubères.

Pareille bizarrerie de l'évolution animale jette un certain éclairage sur la philogenèse de l'*homo sapiens*. On a remarqué bien souvent, dans la dérivation entre primates et humains, que ceux-ci ressemblaient beaucoup moins aux adultes qu'aux bébés primates (même relative absence de pilosité, même position du trou occipital, même structure des mains et des pieds, même pli mongolien, etc.). Il serait alors possible de concevoir que la véritable spécificité des humains, dans l'évolution des espèces animales, vient de ce qu'ils sont des primates fixés à un stade infantile, mais ayant conquis la faculté de se reproduire. Le stade transitoire de l'enfance pour un primate serait devenu, pour l'homme, un état définitif. Telle est ce que l'on nomme « l'hypothèse de la fœtalisation » qui trouve l'essence de l'homme dans le caractère *retardé* de son développement[2].

2. Un des premiers à proposer cette idée de l'homme comme espèce retardée a été l'anatomiste hollandais Louis Bolk dès les années 1920-1930 (voir Louis Bolk, « La genèse de l'homme », *Arguments*, n° 18, 1960, p. 3-13). Arnold Gehlen a tâché de suivre les implications de ce qu'il appelle un « infantilisme normalisé » dans une théorie anthropologique plus générale, dès les années 1950 ; voir Arnold Gehlen, *Anthropologie et psychologie sociale*, trad. Jean-Louis Bandet, Paris, Presses Universitaires de France, 1990 [1986].

On ne peut certes faire des expériences comme avec les axolotls et injecter à des êtres humains des hormones thyroïdiennes afin de voir s'ils deviennent effectivement des primates patentés, mais certaines maladies endocriniennes montrent que l'inhibition de la thyroïde qui gère ces métamorphoses physiologiques peut être ponctuellement levée et provoquer, de fait, un accroissement de la pilosité, des développements de l'os frontal et de la mâchoire, une puberté inhabituellement précoce : modifications qui nous paraissent pathologiques, mais que l'on pourrait prendre au contraire pour l'actualisation de notre destin animal.

En un sens, si la sexualité dépasse chez l'homme la simple reproduction de l'espèce et si nous l'entourons de tant de prestigieux plaisirs, c'est que, fondamentalement, à l'instar de la technique volée par Prométhée, nous n'y avons pas droit : d'avoir usurpé le pouvoir de reproduction réservé aux adultes nous laisse, du coup, libres d'en user à tort et à travers. Sexualité et liberté vont de pair dans le monde des hommes. S'il n'en va pas de la sorte pour les organismes néoténiques des axolotls — la « néoténie » est le nom donné par les biologistes pour désigner cette fixation fœtale —, c'est que les hommes apparaissent sur-retardés. Nous naissons et demeurons inachevés (il nous faut des années pour apprendre à marcher, à nous nourrir, à développer des souvenirs), en retard sur toutes les autres espèces animales[3] — et c'est justement ce que nous appelons être plus évolués !

Chez les animaux que nous nous plaisons à considérer comme les moins évolués (les insectes par exemple), le processus moteur est rigoureusement déterminé : pour se nourrir, telle espèce de guêpe solitaire pique inéluctablement le ganglion ventral de son unique proie, la larve du scarabée doré. La précision géométrique du geste n'est pas le résultat d'un apprentissage, mais une formation biologique inscrite dans la structure génétique de l'insecte comme un destin écrit par les dieux. Notre enfance prolongée nous a, au moins en partie, libérés d'une telle structuration, elle nous a plongés dans une plasticité indéfinie[4] — et c'est bien pour limiter et contrôler cette effrayante souplesse

13

3. Voir Geza Roheim, *The Origin and Function of Culture*, New York, Nervous and Mental Diseases Monographs, 1943.

4. Plusieurs philosophes ont tenté d'en tirer des réflexions sur notre actualité même : Giorgio Agamben, *Idée de la prose*, Paris, Éditions Christian Bourgois, 1988 [1985] ; Dany-Robert Dufour, *Lettres sur la nature humaine à l'usage des survivants*, Paris, Éditions Calmann-Lévy, 1999 ; Peter Sloterdijk, *Règles pour le parc humain : une lettre en réponse à la* Lettre sur l'humanisme *de Heidegger*, trad. Olivier Mannoni, Paris, Éditions Mille et une nuits, 2000 [1999].

d'âme que nous avons imaginé de multiples façons de nous contraindre (à commencer par l'invention même de l'« âme » ou des interdits sexuels).

Une de ces contraintes est le langage. Il est courant de penser l'homme comme l'animal doté de la parole. Rien n'est moins évident. Les animaux naissent dans le langage, alors que les humains sont ces animaux sans langage qui doivent justement l'acquérir, donc l'inventer. Du coup, le langage change de sens : il n'offre plus une discipline des comportements, liant de façon répétitive et nécessaire tel signal à telle action ; il ouvre au vertige des nominations, aux beautés des synonymies, au labyrinthe des règles et des catégories ; il disjoint et accouple la singularité d'un événement et la généralité d'une signification. Dans l'animal, l'empirique et le transcendantal sont impeccablement confondus ; l'être humain œuvre, au contraire, sur la difficile jointure des deux.

L'animal, parce qu'il naît dans un code, ne le saisit jamais comme code ; il en réitère obstinément les effets. L'être humain, puisqu'il doit rendre possible une communication, donc une communauté, est à l'origine de ses langues : il ne les domine pas individuellement, mais il en maîtrise les possibilités. Il ne les domine pas, dans la mesure où il est bien doté de la parole, mais non sous la forme d'une inscription génétique, d'une qualité intrinsèque, il lui faut recourir à l'apprentissage : il n'est pas de langage solitaire, et jamais un homme n'en a été pourvu autrement que par la tradition et l'enseignement d'autres humains. L'être humain est donc bien, lui aussi, dans le langage dès sa naissance, mais suivant un ordre tout différent de celui des animaux : là où ceux-ci le reçoivent selon un processus quasi immuable de génération en génération, celui-là en hérite et en fait son propre bien selon des processus toujours neufs, ouverts à la fois sur les possibles et les nécessités, pris dans des dettes et des obligations. En figurant comme l'inachevé, le retardé au compte courant des espèces, l'être humain devient un animal historique : l'histoire naît avec la nécessité de l'héritage. Il faut porter à son crédit ce dérimage des temps qui fait d'un retard un progrès.

Ce à quoi les animaux sont aveugles n'est jamais le signe. Le monde, pour eux, fourmille, au contraire, de signes. Mais c'est l'opacité du signe lui-même qu'ils ne peuvent appréhender. Le retard du développement et l'apprentissage du langage font que les signes apparaissent enfin, existent aussi par eux-mêmes. La « pensée » est issue de cette réflexion inaugurée par la réflexivité des signes, c'est-à-dire de leur double capacité à s'abolir dans la dénotation d'un référent et à se manifester dans leur vertu de signe, à s'effacer dans une transparence insoupçonnée et à se montrer selon la sensualité de l'opaque. De tous les animaux, l'être humain est celui qui, régulièrement, lâche la proie pour l'ombre.

DE LA POLITIQUE COMME TECHNIQUE D'AIMER

Cependant, comment empêcher que les êtres humains ne deviennent les proies très matérielles d'autres humains. Comment faire pour qu'un ordre commun puisse accorder ces animaux qui ont raté leur destin animal et dont la liberté se voit rapidement bloquée par les désirs des autres humains? Revenons alors au mythe de Protagoras et, plus directement, à la question de la technique et de son enjeu proprement politique. Car si le point de départ de la discussion avec Socrate est le fait de savoir ce qu'enseigne exactement Protagoras et quelle en est l'utilité pour un jeune homme, le dialogue consiste surtout à comprendre comment (puisque Protagoras déclare enseigner l'art du parfait citoyen) il serait possible d'enseigner la politique, alors qu'elle est d'office le lot de chacun et que personne ne pouvant se prétendre plus compétent qu'un autre en cette matière (à la différence des métiers qui s'apprennent et instaurent des compétences spécifiques), il ne peut être question de l'enseigner. Le mythe que raconte Protagoras est censé fournir une réponse à ces questions de Socrate. La première partie du mythe consiste donc à montrer en l'homme une immaturité originaire et un supplément de moyens octroyé par le vol du savoir technique par Prométhée.

Mais cela ne suffit pas. Le partage des rituels, des mots, des outils et des produits ne permet pas encore d'édifier une cité où tous les membres demeurent harmonieusement unis. Il manque toujours une manière de lier les humains entre eux, afin qu'ils puissent résister aux bêtes sauvages. Ils se réunissent souvent, bâtissent même des villes, mais aussitôt qu'ils les ont construites, chacun y maltraite et lèse (*adikeîn*, 322 b 8) les autres: ils ne savent pas faire d'une ville qui rassemble des individus, une cité (*polis*) qui ordonne une multitude. C'est donc l'art du *politique* qui leur fait cruellement défaut. Prométhée n'a pas pu voler la politique en même temps que le feu et les savoirs de la technique, car elle se trouvait dans la demeure même de Zeus, soigneusement gardée. Au plus proche du roi des dieux réside donc l'art de tisser les liens entre les êtres. Pourtant, de même qu'il ne faut pas opposer *technè* à *logos*, on ne doit pas trouver dans la politique une envergure contraire à la technique, car depuis le début du dialogue Protagoras a été qualifié de savant en *politikèn téchnen* (319 a 4) et c'est bien la technique politique dont manquent encore les êtres humains. L'art de vivre ensemble est une forme de technique, différente de la fabrication d'outils et même de la production de discours, car elle requiert une qualité qui est absente de tous en ce que chacun s'avère immédiatement *adikos* (injuste).

L'être humain peut conserver sa vie ; il ne sait pas encore comment la vivre en commun avec les autres humains. Pour Protagoras, l'invention de la communauté politique passe donc par la justice (*dikè*) et le respect (*aidôs* peut aussi vouloir dire « pudeur », voire « révérence ») que Zeus se décide à transmettre aux hommes par le petit dieu de la communication, Hermès[5]. Et la distribution est parfaitement égale : chacun peut être plus ou moins doué pour tel ou tel métier, mais l'art du politique est nécessairement le lot de chacun, « afin qu'il y eût dans les villes de l'harmonie [*poleon cosmoi*] et des liens créateurs d'amitié [*desmoi philias sunagogoí*] » (322 c 2-3). Le lien ainsi créé entre les hommes est une manière d'aimer (*phileîn*) sous le signe de la justice et du respect, comme le dialogue lui-même s'écrit sous les auspices de l'amour que porte Socrate à la beauté d'Alcibiade ou à la sagesse sans égale de Protagoras (309 c 11). Il faut donc aux humains immatures, d'abord, la technique des outils et du langage afin de conserver leur vie et, ensuite, la technique politique d'aimer les autres hommes afin de survivre ensemble.

On dira que c'est bien là un programme de sophiste : non seulement le langage y est ramené à une simple technologie, mais l'amour (qui élève tant les hommes au-dessus de leur contingence) n'y est présenté que dans son envergure sociale et techniciste. De même que les usages de la sexualité ne se ramènent pas à une programmation pornographique, les valeurs du fait d'aimer ne devraient pas se réduire à des accointances techniques. Mais cette inscription de l'amour et de la vertu dans l'orbe de la technique politique n'est pas le fait de Protagoras, c'est le sage Socrate qui la provoque ! En glissant déjà, sans y insister explicitement, de la question de la technique à celle de la vertu politique, comme s'il s'agissait d'équivalents, Socrate inscrit celle-ci à l'horizon de celle-là. En échangeant finalement de position avec Protagoras, à la fin du dialogue, et en revendiquant la possibilité, voire la nécessité, d'un apprentissage de la vertu politique, il trouve bien dans cette excellence recherchée la vertu d'une technique.

Ce qui permet donc l'harmonie des liens dans la cité tient à cette technique amicale. Je rappelle les termes qui sont ainsi assemblés par Socrate-Protagoras : *poleon cosmoi*. Le *cosmos* désigne le bel ordre, l'arrangement selon les convenances, l'arrangement au sens de parure, mais aussi le monde des humains et même l'univers en son entier. C'est en faisant, par les liens politiques de

---

5. Je reviendrai sur ce problème dans le prochain numéro d'*Intermédialités* consacré justement à cette question de la transmission.

l'amitié, un cosmos de leurs cités que les êtres humains s'inventent enfin un monde. Les animaux n'ont qu'un milieu de vie (une niche biologique), la néoténie des humains fait aussi qu'ils ont un monde pour y vivre. La technique (en particulier la technique d'aimer) les ouvre à un point de vue qu'il faut bien appeler « cosmopolitique ».

Comprend-on mieux maintenant l'intérêt, pour une revue comme *Intermédialités*, à prendre en compte le fait d'aimer? Loin de tout sentimentalisme verbeux ou de toute pathétique amoureuse, ce sont à des dispositifs techniques (au sens large que je viens d'indiquer), que sont dévolues les études qui suivent, en même temps qu'à l'envergure politique du fait d'aimer. En ce sens, la philologie, qui témoignait d'abord littéralement d'un amour de la langue, trouve son juste prolongement dans l'intermédialité comme *amour des moyens*: il est donc tout à fait normal que les techniques d'aimer en deviennent des objets prioritaires — avec l'avantage de ne pas s'illusionner trop fortement sur l'impeccable jointure de la *dikè* et de l'*aidôs*: le dialogue de Platon lui-même multiplie les occasions de dispute, de conflit, de mésententes, de dissensions, de méprises, voire d'ironiques mépris. L'intermédialité suit les méandres de l'aveugle amour en se mettant à l'écoute de toutes ses techniques.

17

Le regard de Narcisse, tapisserie réalisée en France ou dans le sud des Pays-Bays, vers 1500, Boston, Museum of Fine Arts, dans Michael Camille, *The Medieval Art of Love: Objects and Subjects of Desire*, New York, Harry N. Abrams, Inc., Publishers, 1998, p. 46.

Aimer hors chant :
réinvention de l'amour
et invention du « roman »

FRANCIS GINGRAS

L'amour, tel qu'on le conçoit en Occident, peut aisément passer pour une invention du Moyen Âge. Avec le développement d'une poésie en langue vernaculaire (et non plus en latin), les premiers troubadours ont proposé un nouvel art d'aimer qui est aussi — et peut-être surtout — un nouvel art d'écrire. Cette nouvelle écriture du désir doit s'entendre dans sa double dimension poétique et musicale, sachant que l'essence même de cet art d'aimer est moins de fonder une érotique nouvelle que de renouveler la poétique du désir[1]. Le désir de la Dame et le désir du chant se ressourcent ainsi l'un à l'autre et la volonté de préserver le désir devient désir de pérenniser le poème. Ni pure émanation mystique, ni femme authentique, la Dame des troubadours est essentiellement une figure de mots. Elle n'a de réalité que dans le discours de l'amant-poète qui vénère en elle sa propre chanson[2].

---

1. Sur cet aspect essentiellement formel de la poésie lyrique au Moyen Âge, voir Robert Guiette, « D'une poésie formelle en France au Moyen Âge », *Romanica gandensia*, n° 8, 1960, p. 9-32 ; Roger Dragonetti, *La technique poétique des trouvères dans la chanson courtoise*, Bruges, Éditions De Tempel, 1960 (désormais, les références à cet ouvrage seront indiquées par le sigle « TPT », suivi de la page, et placées entre parenthèses dans le corps du texte) ; Paul Zumthor, *Langue et techniques poétiques à l'époque romane (XIe-XIIe siècles)*, Paris, Éditions Klincksieck, 1963 et, surtout, *Essai de poétique médiévale*, Paris, Éditions du Seuil, coll. « Poétique », 1971 (désormais, les références à cet ouvrage seront indiquées par le sigle « EPM », suivi de la page, et placées entre parenthèses dans le corps du texte).
2. Paul Zumthor, « De la circularité du chant (à propos des trouvères des XIIe et XIIIe siècles) », *Poétique*, n° 2, 1970, p. 129-140 et EPM, p. 216-219. L'équation entre *aimer*

Ainsi reconnaît-on, depuis Paul Zumthor, l'équation presque parfaite qui existe dans le grand chant courtois entre les verbes *aimer* et *chanter*. Pour le médiéviste et poéticien, « *chanter-aimer* constitue moins un couple comparant-comparé, que *chanter* ne possède globalement deux signifiés indiscernablement confondus, innommables d'une autre manière » (EPM, p. 217). Préfigurée par Jean Bodel, Adam de la Halle et Rutebeuf, la dissociation du poème et du chant se confirme au XIVe siècle avec Guillaume de Machaut, quand le lyrisme tend à perdre sa dimension musicale au profit de l'exaltation d'un *je* pseudo-autobiographique, ce qui entraîne la réorientation des conceptions de l'amour autour d'un sujet qui s'invente à travers son désir. Véritablement consommé avec Eustache Deschamps, le divorce entre texte et musique conduit à une redéfinition du lyrisme qui suppose désormais la mise en scène d'un *je* « lyrique », double masqué du poète.

Cette émergence de la subjectivité littéraire[3], concomitante à la disjonction progressive du poème et de la musique au cours du XIIIe siècle, fait suite à une première grande rupture dans la poétique « romane » survenue avec le développement, dans la deuxième moitié du XIIe siècle, d'une narration versifiée mais non chantée. La narration en roman avait déjà été explorée, depuis le IXe siècle, comme une voie de création poétique particulièrement riche, mais principalement sous forme de récit chanté où l'unité narrative coïncidait avec une unité musicale (celle, plus rigide, du couplet de décasyllabes dans les chansons de saint ou celle, plus souple, de la laisse de décasyllabes dans les chansons de geste). L'apparition d'une forme narrative libérée des contraintes du chant est l'occasion d'une reconfiguration de l'art d'aimer méridional, notamment par l'adjonction de motifs merveilleux empruntés aussi bien aux sources antiques

---

et *chanter* vaut surtout pour le grand chant courtois, la principale voie d'affirmation du lyrisme vernaculaire. D'autres registres poétiques relativement importants au Moyen Âge (comme la *tenso* ou le *sirventes*) répondent à des critères différents de la *canso* et supposent donc une définition du lyrisme qui ne repose pas nécessairement sur l'équation entre le désir et le chant. Sur les problèmes typologiques que posent deux de ces registres, le *lai* et le *descort*, voir Dominique Billy, « *Lai* et *descort* : la théorie des genres comme volonté et comme représentation », dans Peter T. Ricketts (éd.), *Actes du premier congrès international de l'Association internationale d'études occitanes*, Londres, Westfield College, 1987, p. 95-117.

3. À ce sujet, voir Michel Zink, *La subjectivité littéraire : autour du siècle de saint Louis*, Paris, Presses Universitaires de France, 1985.

qu'au vieux fond celtique[4]. Entre 1150 et 1275 se met ainsi en place un autre rapport à la langue et à l'écriture où se dessine, en regard de l'érotique des troubadours, ce que l'on pourrait définir comme la nouvelle érotique des romanciers.

Les rapports entre le chant, l'amour et le poème participaient d'une telle communion qu'il est difficile, et toujours un peu artificiel, d'étudier un aspect de manière indépendante. Par la force des choses, notamment l'absence de notations musicales dans de nombreux manuscrits et la difficulté à lire les transcriptions médiévales, les poèmes ont trop souvent été étudiés sans la musique, de même qu'on a, trop longtemps, tenté de penser « l'amour courtois » hors du poème, ce qui a conduit au débat stérile entre « réalistes » et « idéalistes » sur la place de la *cortezia* dans la société médiévale. La mise en évidence du lien intime entre *aimer* et *chanter* a permis de renouveler l'approche du grand chant courtois et de mettre un terme à la controverse sur la « pratique » de la *fin' amor*. De même, les collaborations entre musicologues et philologues permettent enfin de faire justice à la technique poétique des troubadours et des trouvères pour qui, comme l'écrivait déjà Roger Dragonetti en 1960 : « Tout rythme, en effet, dégage une mesure, laquelle n'est pas un simple artifice qui lui est surajouté, mais coexiste avec lui parce qu'elle est une condition essentielle de sa perception. » (TPT, p. 501)

La réorganisation des rapports entre le chant, l'amour et l'écriture reste encore à penser, autrement qu'en termes de rupture, pour ce qui est des plus anciens textes narratifs qui explorent un nouveau territoire en langue vernaculaire, notamment à partir de la tradition poétique développée en langue d'oc. Car derrière l'évident divorce entre le poème et la musique qui caractérise la production de textes narratifs sans accompagnement musical à partir des années 1115-1130, il faut lire un réaménagement de la dynamique entre la musique et

21

---

4. Sur l'érotique des premiers romanciers, voir d'abord l'étude de Laurence Harf-Lancner (*Les fées au Moyen Âge. Morgane et Mélusine : la naissance des fées*, Paris, Éditions Honoré Champion, coll. « Nouvelle bibliothèque du Moyen Âge », 1984) qui permet de dégager certains éléments de la relation entre érotisme et merveilles au Moyen Âge, notamment l'importance structurelle de l'interdit et de sa transgression dans les récits de rencontre amoureuse entre une fée et un mortel. Voir aussi Francis Gingras, *Érotisme et merveilles dans le récit français des XIIe et XIIIe siècles*, Paris, Éditions Honoré Champion, 2002 (désormais, les références à cet ouvrage seront indiquées par le sigle « E&M », suivi de la page, et placées entre parenthèses dans le corps du texte).

les lettres. C'est là où l'intermédialité, entendue avec Hans Ulrich Gumbrecht comme une relation de tension ou d'oscillation entre le *sens* et les *médias*[5], peut sans doute apporter un autre éclairage sur quelques-uns des plus anciens textes narratifs français.

Car, à lire dans cette optique les trois plus anciennes traductions d'extraits des *Métamorphoses* d'Ovide produites entre 1160 et 1170, on peut mettre au jour à quel point la tension entre le chant et l'écriture informe ces textes et, tout particulièrement, la vision qu'ils proposent des relations complexes entre l'amour, la mort et l'écriture. Là encore, il y a moins rupture avec l'érotique/poétique des troubadours que mise en tension et jeux de dévoilement avec les sous-entendus de la poésie lyrique. Même quand la production narrative semble s'éloigner du monde méditerranéen, avec Marie de France qui choisit de mettre par écrit les anciens « lais » bretons (vers 1160-1170), l'enjeu reste encore essentiellement de se situer par rapport au chant et à la vision de l'amour qui lui était si intimement liée. Les textes eux-mêmes donnent un accès immédiat à ce mouvement perpétuel entre la forme et le sens où s'invente la littérature.

UN TEMPS POUR CHANTER/EMBRASSER ET UN TEMPS POUR DIRE/MOURIR

La mise à distance du chant et de la *fin' amor* procède d'un vaste mouvement de traduction qui gagne les pays de langue d'oïl au cours du XIIe siècle. Amorcée à la cour d'Henri Ier Beauclerc et de la reine Aelis, la production de textes en octosyllabes à rimes plates, lus sans accompagnement musical, est d'abord animée par la volonté de rendre accessibles aux *illitterati* (ceux qui ne connaissent pas le latin) des textes édifiants (*Voyage de saint Brendan*) ou scientifiques (*Bestiaire, Physiologus*) où la part de l'amour est, de toute façon, réduite à la portion congrue. La rupture entre *aimer* et *chanter* est déjà plus nette quand la narration en octosyllabes s'ouvre à l'analyse des sentiments, d'abord dans un cadre historiographique où sa place demeure malgré tout assez limitée, avec Geoffrei Gaimar et son *Estoire des Angleis*, puis de manière plus importante avec la première « mise en roman » d'une épopée ancienne, la *Thébaïde* de Stace, devenue, vers 1150, le *Roman de Thèbes*[6].

5. Hans Ulrich Gumbrecht, « Why Intermediality — if at all ? », *Intermédialités*, n° 2, « Raconter », automne 2003, p. 176.

6. L'amour tient au demeurant une place toute relative dans ce roman. Le « translateur » anonyme du *Roman de Thèbes* reprend la relation entre Ismène et Atys, qu'il trouvait dans son texte-source, mais, en l'occurrence, développe assez peu la matière

Vers 1160, avec le court récit de *Pyrame et Thisbé*, « translation » et ampli-fication des vers 55 à 166 du livre IV des *Métamorphoses* d'Ovide, le « roman » s'attache pour la première fois à un récit qui n'a d'autre ressort dramatique que l'idylle amoureuse. D'un point de vue formel, la conquête de l'amour par la narration « en roman » se fait à travers une forme hybride où se côtoient cou-plets d'octosyllabes, assumant le fil du récit, et quatrains ou tercets d'octosylla-bes suivis d'un vers dissyllabique constituant des sortes de stances lyriques où les amants évoquent tour à tour la violence et la profondeur de leurs sentiments.

L'entrelacement du narratif et du lyrique recoupe d'abord les monologues amoureux que les deux enfants conduisent parallèlement : « plorent, plaignent chascuns par soi / ne sevent d'eulz prendre conroi » (« Ils pleurent, ils se lamen-tent, chacun de son côté, ils ne savent ce qu'ils doivent faire[7] »). À travers ce procédé, le « translateur » dédouble le *je* lyrique et, ce faisant, montre l'inanité de monologues proférés dans le vide. Plus avant dans le récit, le mur qui sépare les deux maisons matérialise la distance entre les deux amants et, malgré la découverte d'une faille dans la paroi — la bien nommée « troveüre » (P&T, v. 337) qui ne peut manquer de faire écho à l'art des trouveurs[8] — les amants en sont réduits à n'être que des voix sans corps.

De chaque côté du mur, les soliloques ne se sont toujours pas mués en véritables dialogues ; la faille dans le mur permet d'entendre le discours de l'autre en écho, mais il ne s'agit encore que de plaintes lyriques qui se suc-cèdent sans vraiment se répondre :

23

---

de Stace. Il ajoute toutefois à la trame de la *Thébaïde* l'amour pour un ennemi, en intégrant au récit un « coup de foudre » entre Parthénopée le Grec et Antigone la Thébaine. Or cet amour réciproque ne fait pas l'objet de longs développements sur la souffrance amoureuse (conformément à ce que voudrait la tradition ovidienne et lyri-que). Même après la mort de Parthénopée, Antigone est étonnamment discrète ; seule la version longue (que donnent des manuscrits plus tardifs) présente le *planctus* de l'amante endeuillée qui en vient à mourir de douleur.

7. *Pyrame et Thisbé*, éd. et trad. Emmanuèle Baumgartner, Paris, Éditions Galli-mard, coll. « Folio classique », 2000 [vers 1160], v. 125-126. Désormais, les références à cet ouvrage seront indiquées par le sigle « P&T », suivi de la page, et placées entre parenthè-ses dans le corps du texte.

8. Roger Dragonetti, *La vie de la lettre au Moyen Âge. Le conte du Graal*, Paris, Éditions du Seuil, coll. « Connexions du champ freudien », 1980, p. 200-201. Voir aussi Christopher Lucken, « Le suicide des amants et l'*ensaignement* des lettres. *Piramus et Tisbé* ou les métamorphoses de l'amour », *Romania*, n° 117, 1999, p. 363-395.

Li jovenciax plaint et souspire,	Le jeune homme se plaint et soupire
Lores fremist, ne pot mot dire.	Son corps est tout frémissant,
	il ne peut plus rien ajouter.
Et quant li siens contes remaint,	Et lorsqu'il a ainsi renoncé à parler,
Tysbé commence son complaint.	C'est Thisbé qui commence sa plainte.

(P&T, v. 477-480)

Le récit est de nouveau suspendu par une intervention lyrique et la rupture dans la forme narrative n'est que surenchère dans l'expression poétique de la douleur. À ce point du récit, si ce n'était du passage du temps que vient marquer l'alternance des jours et des nuits sans sommeil, la narration « en roman » semblerait, elle aussi, prisonnière de la circularité d'un chant d'amour éternellement recommencé.

À travers cette mise en scène du lyrisme, le désir est désincarné au point que l'objet aimé n'est plus qu'un fantôme relégué aux marges du sommeil et du rêve, dans un lit où le plaisir n'a pas sa place :

La nuit,	La nuit,
N'ai je ne deport ne deduit	Je ne connais ni plaisir ni joie
Quant je me gis dedens mon lit.	Quand je suis étendue dans mon lit.
Riens n'oi,	Je suis seule,
S'en sui en paine et en esfroi ;	J'en éprouve peine et souffrance ;
Si m'est avis que je vous voi	Il me semble alors que je vous vois,
Et ne poez parler a moi,	Mais que vous ne pouvez me parler,
Dont sui pires que ne soloi.	Ce qui aggrave encore mon état.

(P&T, v. 523-530)

La stase lyrique au sein de la narration vient souligner le caractère fantasmatique de l'amour parfait. L'amant est réduit au silence et sa vision obsédante conduira l'amante à prendre l'initiative (à rebours de la norme courtoise) d'un rendez-vous nocturne dans un *locus amœnus* miné par la présence de la mort :

A la fontaine me querez,	Et venez me retrouver à la fontaine,
Souz le morier en mi les prez,	Sous le mûrier, au milieu des prés,
La ou Ninus fu enterrez :	Là où Ninus fut enterré.
Certainement m'i troverez.	Soyez sûr de m'y retrouver.

(P&T, v. 564-567)

La rencontre amoureuse prend ainsi un accent funèbre (emprunté à Ovide) dans un texte dont la « translation » française permet par ailleurs de nouveaux jeux d'échos qui font résonner la mort à chaque articulation du récit. Le mur qui sépare les enfants est apostrophé en parallèle avec la personnification de la Mort (« Hé, murs ! », P&T, v. 438 / « Hé, mors ! », P&T, v. 732), la mûre (« more » en ancien français) chargée de porter le deuil en souvenir du destin tragique des jeunes amants est paronyme de la mort qui les attend et même la pointe de l'arme fatale, dans une forme rare en ancien français, est désignée comme « la more de l'espee » (P&T, v. 750).

Le récit dévoile ainsi les secrets de la *fin' amor* qui est bien, comme l'ont montré les analyses d'Henri Rey-Flaud et de Charles Méla, *fine mort*[9]. Ce qui était masqué par la dynamique d'un chant porté par le désir s'expose dans le récit comme un mouvement inéluctable vers la mort. En tentant d'abandonner la forme de chants d'amour désincarnés pour tenter l'union des corps, l'amour « en roman » doit prendre le risque de s'exposer au passage du temps. À la différence de la stase lyrique, située hors du temps, le mouvement de la narration choisit un autre rythme (différence marquée ici par la fluidité des octosyllabes qui s'enchaînent hors de toute mesure strophique). Le désir érotique se révèle ainsi pur désir de mort, dès lors que l'union des corps s'avère aussi impossible que dans la complainte solitaire : « plus aime mort que ne fet vie », dit le narrateur au sujet de Thisbé qui s'écrie elle-même à la vue du corps inanimé de son amant : « Morir ? / Nulle chose tant ne desir. » (P&T, v. 833-834)

Avec la mort de Pyrame et Thisbé, qui « réalise » l'union des corps dans l'espace du récit après avoir quitté la sphère lyrique du corps fantasmé, l'amour ne repose plus sur un envoi incertain, la *tornada* « senes breu de parguamina » (« sans bref de parchemin[10] ») des troubadours, dont dépendait la survie d'un chant mouvant. La pérennité de l'amour passe désormais par la signature de cet amour dans le sang qui vient inscrire la passion dans la mémoire de l'écriture. La transformation de la voix en trace écrite est marquée par la prière de Pyrame à l'origine du « signe de mort » chargé de perpétuer la passion des jeunes amants :

---

9. Henri Rey-Flaud, *La névrose courtoise*, Paris, Éditions Navarin, coll. « Bibliothèque des Analytica », 1983 ; Charles Méla, *La Reine et le Graal. La conjointure dans les romans du Graal, de Chrétien de Troyes au Livre de Lancelot*, Paris, Éditions du Seuil, 1984.

10. Jaufré Rudel, « Quan lo rius de la fontana », Rupert T. Pickens (éd.), dans *The Songs of Jaufré Rudel*, Toronto, Pontifical Institute of Medieval Studies, 1978 [1150], v. 29.

Mes primes vueil aus diex proier	Mais avant [de vous venger] je veux prier les dieux
Qu'il demoustrent en cest morier	Qu'ils inscrivent sur ce mûrier
Signe de mort et destorbier :	Un signe de mort et de malheur :
Facent le fruit de tel coulor	Qu'ils donnent à ce fruit la couleur
Comme il a afiert a la dolour !	Qui convient à la douleur !

(P&T, v. 759-760)

Avec l'inscription dans l'arbre, la parole mouvante devient un signe plus fort que la mort. Le sang vient signer le fruit blanc et transformer à jamais la nature de la douleur amoureuse ; elle n'est plus la douleur unique de l'amant-poète, mais devient douleur universelle de tous les amants lecteurs et interprètes des passions qui les ont précédés :

Sor les branches raie li sans,	Le sang ruisselle sur les branches
Nercist li fruit, qui estoit blans.	Et noircit le fruit qui était blanc.
Tous temps avoit esté la more	La mûre avait toujours été
Blanche jusques a icele hore ;	Blanche jusqu'à ce jour ;
Adonc si ot noire coulour	Mais elle devint depuis de couleur noire
En tesmoignage de dolour.	En signe de douleur.

(P&T, v. 759-760)

Avec le passage de « la more blanche » à la « noire coulour », le « tesmoignage » des fruits tachés de sang n'est plus le signe trompeur (le voile ensanglanté) qui a conduit Pyrame à la mort. Il est au contraire le témoin fidèle de l'union des amants dans la mort[11].

Le passage du lyrisme au narratif oblige à donner un corps aux amants. Chanter l'amour supposait de repousser à l'infini l'incarnation du désir ; le raconter implique au contraire de donner à voir des amants de chair et de sang. Affranchi des contraintes du chant, le récit se trouve assujetti aux impératifs du temps. Il faut que l'amour évolue hors du temps suspendu de l'énonciation poétique, qu'il participe de l'illusion d'un mouvement dans l'espace et dans le temps. Soumettre l'amour au risque du temps, c'est révéler qu'il est miné par la mort. Ce que les poètes suggéraient, les « romanceors » l'exposent au grand jour : seule la mort des amants peut conjurer la mort du désir. Au chant éternellement recommencé d'une jouissance toujours à venir, le récit oppose le

---

11. On sait que certains des romans de Tristan s'inscriront dans le même mouvement à travers le motif des arbres entrelacés.

mouvement inéluctable vers la mort que la puissance d'un *signe* peut seule contrecarrer[12].

DIRE POUR VOIR

L'obsession du lien entre le désir et la mort informe encore un autre extrait des *Métamorphoses* d'Ovide mis « en roman » quelques années plus tard, le *Lai de Narcisse*, composé vraisemblablement entre 1160 et 1165. Le récit franco-normand donne, dans un prologue qui lui est propre, la chute du récit de « Narcissus qui fu mors d'amer[13] ». Contrairement à *Pyrame et Thisbé*, le Narcisse médiéval n'inclut pas d'insertions lyriques dans la trame du récit. La version médiévale se démarque surtout de l'original latin par la disparition du personnage d'Écho, remplacée par Dané, la plus jolie fille de Thèbes (LDN, v. 129-130). Les transformations que subit Écho s'inscrivent directement dans le mouvement de mise à distance de la voix au profit du corps et du regard amorcé dans le « roman » de *Pyrame et Thisbé*. La trame du conte ovidien de Narcisse permettait déjà d'accorder une place prépondérante aux jeux du regard, mais la « translation » accentue cette dimension en associant constamment aux déceptions mortifères de la vision les dangers d'une parole trop puissante.

Dès le départ, le récit est placé sous l'autorité d'un devin de Thèbes « qui de voir dire ert esprovés » (« qui était reconnu pour dire la vérité », LDN, v. 42). L'insistance sur la parole prophétique se signale par les cinq occurrences du verbe *dire* en moins de quinze vers. La valeur du *dire* s'oppose, dès ces premiers vers, aux dangers du *voir* puisque l'interdit qui pèse sur Narcisse repose précisément sur la vue :

27

12. Sur la mentalité symboliste et la théorie du signe au Moyen Âge, voir Marie-Dominique Chenu, « The Symbolist Mentality », dans *Nature, Man, and Society in the Twelfth Century : Essays on New Theological Perspectives in the Latin West*, éd. et trad. Jerome Taylor, Lester K. Little, Chicago, University of Chicago Press, 1968, p. 99-161 ; Alfonso Maierù, « *Signum* dans la culture médiévale », *Miscellanea Mediævalia*, n° 13, 1981, p. 51-72 ; Eugene Vance, *Mervelous Signals : Poetics and Sign Theory in the Middle Ages*, Lincoln, University of Nebraska Press, 1986.

13. *Le lai de Narcisse*, éd. et trad. Emmanuèle Baumgartner, Paris, Éditions Gallimard, coll. « Folio classique », 2000 [vers 1160-1165], v. 35 (désormais, les références à cet ouvrage seront indiquées par le sigle « LDN », suivi du numéro de vers, et placées entre parenthèses dans le corps du texte).

« Gart bien qu'il ne se voie mie !   « Qu'il prenne bien garde à ne pas se voir :
Ne vivra gaires s'il se voit. »   S'il se voit, il ne vivra pas longtemps. »

(LDN, v. 52-53)

S'il est clair que le texte ovidien est déjà une mise en garde contre l'orgueil et, surtout, contre la déception des sens, l'interprétation peut varier considérablement selon que l'on entend l'oracle de Tirésias comme l'interdiction plus générale *de se connaître* ou plus particulièrement *de se voir*, divergence nourrie par les manuscrits des *Métamorphoses* qui présentent, au vers 348, les variantes *Si se non noverit* (s'il ne se connaît pas) et *Si se non viderit* (s'il ne se voit pas). La leçon « qu'il ne se voie » (LDN, v. 52) dans la « translation » médiévale infléchit l'interprétation du poème dans le sens d'une mise en cause plus précise des périls du regard.

La réaction de la mère aux prédictions de l'oracle exprime d'emblée la tension entre le regard et la parole : « Gabant s'en torne, si dist bien / Que sa parole ne vaut rien » (« [La dame] s'en va en se moquant de lui et en disant / que sa prédiction ne vaut rien », LDN, v. 55-56). Niée par un protagoniste, la force de la parole est immédiatement réaffirmée par le narrateur[14]. Le « translateur » roman préserve ainsi continuellement l'équilibre entre la parole et le regard, notamment à travers l'invention du personnage de Dané qui lui permet de prêter un discours amoureux à celle qui, chez Ovide, « ne sait ni se taire quand on parle, ni parler la première[15] ». Au personnage clairement secondaire et purement réactif du récit ovidien (« Écho qui répète les sons — *resonabilis Echo* »), le texte médiéval substitue une jeune femme volubile qui, là encore, prend l'initiative.

De manière significative, le regard de la jeune fille — premier regard amoureux du récit — est présenté comme l'élément déclencheur de la tragédie. Un jour qu'il revenait de chasser, « par aventure » précise le texte (LDN, v. 121), Narcisse passe sous les fenêtres de la princesse :

----

14. « Lonc tans en furent en doutance, / Et en la fin fu la provance » (« Longtemps on en attendit la réalisation, mais finalement elle se réalisa », LDN, v. 57-58).

15. « *Quæ nec reticere loquenti / Nec prior ipsa loqui didicit.* » (Ovide, *Les métamorphoses*, éd. et trad. Danièle Robert, Arles, Éditions Actes Sud, coll. « Thesaurus », 2001, livre III, v. 357-358). Désormais, les références à cet ouvrage seront indiquées par le sigle « MET », suivi du livre et des numéros de vers, et placées entre parenthèses dans le corps du texte).

La fille au roi de la cité	La fille du roi de la cité
Des fenestres a jus gardé.	A regardé du haut de la fenêtre.

(LDN, v. 127-128)

Le regard plongeant de la jeune fille sur le corps parfait de Narcisse enca-dré par la fenêtre prédispose la belle à subir les flèches de l'Amour. On le sait, cet amour malheureux la conduira à souhaiter la mort du bel orgueilleux, souhait que réalise le dénouement du récit. Or, au terme du récit, la jeune fille constate amèrement la puissance mortifère de sa parole : « Lasse ! ma proiiere est la mort ! » (« Malheureuse ! Ma prière est la cause de sa mort ! », LDN, v. 999), s'écrie-t-elle en constatant que son désir de mort est avéré.

L'efficacité de la parole se voit ainsi constamment mise en doute puis rétablie dans sa puissance. Ainsi l'exclamation terrifiée de Dané devant la con-séquence de sa funeste prière répond au mépris exprimé par Narcisse après avoir entendu sa déclaration d'amour : « Tu pers et gastes ta proiiere » (« Tu pries et supplies en pure perte », LDN, v. 510). De même, aux doutes formulés par la mère sur la valeur de l'oracle répond le constat lucide de Narcisse au moment de mourir (« Bien sai que voir dist li devins » — « Je sais bien que le devin a dit vrai », LDN, v. 849). En revanche, le regard se révèle nettement déceptif, depuis les différentes mentions des apparitions de Dané à la fenêtre (LDN, v. 127-128, v. 311-318, v. 429-432) jusqu'à l'ultime tête-à-tête entre Narcisse et son ombre[16]. En abandonnant le chant pour les mirages de la représentation, le texte narratif interroge, par la voix de Narcisse, les dangers de la « semblance ». Après l'invention d'un *je* dans l'espace lyrique, la narration « en roman » explore ce qui vient avec la représentation d'un autre, étrange « semblance » contre-exemplaire comme l'indiquent les derniers vers du *Lai de Narcisse* :

29

Or s'i gardent tuit autre amant	Qu'ils se gardent tous ceux qui aiment
Qu'il ne muirent en tel samblant	De mourir de même manière.

(LDN, v. 1009-1010)

16. « Et quide que fantosmes soit. / Un poi est en son sen venus ; / Lors counoist qu'il est deceüs, / Et voit que c'est unbres qu'il ainme » (« Et il se persuade que c'est une illusion. Puis il reprend un peu ses esprits ; il comprend alors qu'il s'est abusé et, il le voit, c'est son ombre qu'il aime », LDN, v. 833-837). On notera le choix du verbe *voir* pour *constater* (LDN, v. 837), ce qui laisse entendre que le seul regard qui vaille est un regard intériorisé. Par ailleurs, la scène avec le désir « fantosme » n'est pas sans rappeler la complainte nocturne de Thisbé qui se plaint de voir l'image de son amant se dissiper dès que, seule dans son lit, elle lui tend les bras (P&T, v. 523-534).

À l'adéquation avec les souffrances du poète dans le grand chant courtois succède la mise à distance salutaire de figures d'amants qui ont substitué la nécessité de la mort à la nécessité du chant. Ainsi l'injonction « chanter m'estuet », si caractéristique de la lyrique courtoise, se trouve renversée dans la bouche de Narcisse qui s'écrie devant son image muette[17] :

Or n'i a el : *morir m'estuet*   Il n'y a pas d'autre issue : il me faut mourir
Las ! Je me plaing, mes nus ne m'ot.   Hélas ! Je me plains, mais personne
                                 ne m'entend. (LDN, v. 928-929)

L'impératif du chant qui venait comme un corollaire du désir est remplacé par l'inéluctabilité de la mort. Là encore, le récit met en scène la transformation du chant d'amour et, ce faisant, il interroge l'essence même de la narration : la *mimesis*, ce théâtre d'ombres qui informe la narration. Renoncer au chant, c'est non seulement inscrire le poème dans un temps dynamique (au risque de la mort), c'est aussi s'avancer dans la zone trouble où il faut donner à voir (mais aussi donner « pour voir[18] ») les fantômes de la fiction.

LE SILENCE ET LA LETTRE

Entre 1165 et 1170, avec la « mise en roman » de l'histoire tragique de Philomèle (MET, VI, v. 412-674), le « translateur » — vraisemblablement Chrétien de Troyes[19] — s'éloigne encore davantage de l'amour parfait des troubadours, en choisissant

17. « Je li voi les levres movoir / Mais l'oïe n'en puis avoir » (« Je vois ses lèvres bouger, mais je ne peux entendre ce qu'elle dit », LDN, v. 705-706).

18. C'est-à-dire, en ancien français, donner « pour vrai ».

19. L'attribution à Chrétien de Troyes, à partir des vers 6-7 du *Cligès* et du vers 634 de *Philomena* (« ce conte Crestiens li gois ») et du prologue qui précède le récit dans l'*Ovide moralisé* (seul témoin de ce texte dont n'existe aucune transcription indépendante) a fait l'objet de débats animés parmi les médiévistes (voir Marie-Claire Gérard-Zai « L'auteur de *Philomena* », *Revista de istorie si teorie literara*, n° 25, 1976, p. 361-368 et Giuseppe Sansone, « Chrétien de Troyes et Chrétien li Gois : un consuntivo », *Studi mediolatini e volgari*, n° 33, 1987, p. 117-1134). L'étude comparée de l'insertion des proverbes dans *Philomena* et dans les romans de Chrétien de Troyes conduite par Elisabeth Schulze-Busacker apporte cependant des arguments sérieux (sinon déterminants) en faveur d'une attribution au maître champenois (Elisabeth Schulze-Busacker, « *Philomena* : une révision de l'attribution de l'œuvre », dans *Romania*, n° 107, 1986, p. 459-485). Désormais les références à l'ouvrage *Philomena* seront indiquées par le sigle « PHI », suivi de la page et placées entre parenthèses dans le corps du texte. Je précise que là où Ovide parle de Philomèle et de Procné, Chrétien orthographie Philomena et Progné.

une histoire de viol, de mutilation et d'infanticide qui lui permet d'abandonner le chant pour mieux imposer la valeur de la lettre. Ce faisant, il approche un art d'écrire qui rompt, non sans violence, avec l'art d'aimer et de chanter qui avait présidé à l'émergence d'une littérature en langue vulgaire. Avec le court récit de *Philomena*, l'équation n'est plus *aimer* et *chanter*, ni même *aimer* et *mourir* (comme c'était le cas dans *Pyrame et Thisbé* ou dans le *Lai de Narcisse*), mais bien *chanter* et *tuer*. L'art du récit semble devoir s'imposer non seulement au risque d'une redéfinition de l'amour, mais peut-être même au prix de sa négation la plus radicale.

L'anecdote de *Philomena* repose sur une histoire de silence et d'écriture puisque, on s'en souvient, chez Ovide, Philomèle, sœur de la reine de Thrace et fille du roi Pandion, est violée par son beau-frère qui lui arrache la langue pour s'assurer que son méfait reste impuni. Grâce à ses talents de tisseuse, Philomèle réussit malgré tout à communiquer avec sa sœur Procné et à lui exposer le détail des sévices qu'elle a subis. La vengeance des deux sœurs consistera à tuer le fils de Térée, le roi violeur, avant de convier le criminel à un festin cannibale où, sans le savoir, le père mange le corps démembré de son fils. Chez Ovide, comme dans la version médiévale, le récit se conclut par la métamorphose des trois criminels en oiseaux.

Un changement significatif intervient cependant dans la conclusion de la « translation » médiévale. Ovide se contentait de préciser la nature de l'oiseau que devenait Térée (la huppe, MET, VI, v. 674), laissant entendre par des indications assez imprécises (« la première s'envole vers les forêts, la seconde va sous un toit et les traces du meurtre n'ont toujours pas disparu de sa poitrine », MET, VI, v. 668-670) que Philomèle devenait hirondelle et Progné rossignol. Or, le texte médiéval précise l'espèce des trois oiseaux et inverse le résultat de la métamorphose des deux femmes :

Progné devint une arondele	Progné devient une hirondelle
Et Philomena rousseignos.	Et Philomena un rossignol.

(PHI, V. 1452-1453)

Le choix de transformer la femme violée et mutilée en oiseau des nuits d'amour s'inscrit dans une volonté de renversement des codes attendus du discours amoureux[20]. Ainsi, dès la nuit de noces de Térée et Progné, le « trans-

---

20. Il faut cependant relativiser l'importance du rossignol dans la poésie des troubadours. Dans l'étude d'un corpus qui va de Guilhem IX à Cerveri de Girone, Odette Cadart-Ricard n'a relevé que trois mentions du rossignol (une chez Peire Vidal et deux chez Cerveri de Girone), les oiseaux chanteurs étant d'ailleurs bien moins représentés

lateur » multiplie les oiseaux de malheur qui planent au-dessus de la chambre nuptiale (« et li huans et li cucus / et la fresaie et li corbiaus » — « le chat-huant, le coucou, / l'effraie et le corbeau », PHI, v. 22-23) là où Ovide se contentait d'un seul hibou (MET, VI, v. 432). Mieux encore, là où Ovide concluait sur la huppe qui « a l'air d'être armée » (« *armata videtur* », MET, VI, v. 674), Crestien li Gois choisit de clore son récit par une interprétation qui lui est propre en rappelant que le chant du rossignol n'exhorte plus à l'amour (comme chez les troubadours) mais qu'il semble désormais appeler au meurtre :

[…] quant il vient au print d'esté,	Lorsque revient le printemps,
Que tout l'iver avons passé,	Lorsque nous avons laissé l'hiver derrière nous,
Pour les mauvais qu'ele tant het,	Dans sa haine des méchants,
Chante au plus doucement qu'el set	Elle chante le plus doucement qu'elle peut
Par le boschaige : oci ! oci !	Dans les bois : « occis ! occis ! »

(PHI, v. 1463-1467)

La *reverdie* chère au grand chant courtois devient l'occasion d'un accès de haine dans une mise en mots du chant du rossignol, absente de la source latine, et pour cause, puisqu'il s'agit bien là d'un jeu onomatopéïque que seule permet la nouvelle langue « romane ».

À l'instar de cet ultime renversement, l'ensemble du traitement de l'amour dans *Philomena* procède d'un détournement pratiquement systématique de la topique courtoise. Avec Hans-Erich Keller, nous retrouvons dans le récit médiéval l'influence de la *fin' amor*, mais contrairement au chercheur américain, il ne nous semble pas devoir y lire la tentative désespérée d'un auteur pour accorder la *fin' amor* à une matière qui lui serait fondamentalement étrangère[21]. Il semble au contraire assez net que la topique courtoise s'y trouve pervertie, voire radicalement inversée. Ainsi, bien avant la conclusion qui est, à ce titre,

que les oiseaux de proie. Odette Cadart-Ricard, « Le thème de l'oiseau dans les comparaisons et les dictons chez onze troubadours, de Guillaume IX à Cerveri de Girone », *Cahiers de civilisation médiévale*, n° 21, 1978, p. 205-230.

21. Hans-Erich Keller, « De l'amour dans *Philomena* », dans *L'imaginaire courtois et son double*, Giovanna Angeli et Luciano Formisano (éd.), Naples, Edizioni Scientifiche Italiane, 1992, p. 361-370. Pour l'auteure, « il n'y a pas de doute que nous avons affaire dans ce conte à un auteur qui, désespérément — serait-ce un simple jeu académique ? — essayait de renouer un événement typique de la tragédie grecque avec de l'amour courtois tel qu'il était perçu au nord de la France dans la deuxième moitié du XIIe siècle. » (p. 370)

particulièrement édifiante, les maux d'amour dont souffre Térée sont l'occasion d'un jeu ironique avec le code courtois. L'insomnie amoureuse, chantée notamment par Jaufré Rudel, se voit détournée quand elle s'applique à celui qui s'apprête à violer et à mutiler :

Onques Thereüs cele nuit	Mais, cette nuit-là, Térée
Ne prist ou lit pais ne repos,	Ne trouva aucun repos dans son lit,
N'onques pour dormir n'ot l'œil clos ;	Il n'arriva pas à fermer l'œil ni à trouver
	le sommeil.
Tant com toute la nuit dura,	Tout au long de la nuit,
Toute nuit son lit mesura,	Il prend la mesure de son lit,
Ou dou travers ou dou bellonc,	De long en large,
Et se demente pas selonc,	Et ne cesse de se lamenter en se demandant
Que tant demore qu'il n'ajorne.	Pourquoi le jour tarde tant à se lever.

33

(PHI, v. 644-651)

À travers une image inhabituelle (« Toute nuit son lit mesura »), le narrateur prend une distance critique par rapport à son sujet, jouant sur le double sens de *mesurer*, à la fois concret et moral. Dans un effet de décalage ironique, celui qui occupe sa nuit blanche à mesurer son lit dans tous les sens se prépare à commettre un geste qui signale toute sa démesure. L'allusion au sens moral est d'ailleurs renforcée par la présence, deux vers plus loin, du verbe *dementer*, sachant que le rapprochement étymologique entre *mens* et *mensurare* était courant dans la pensée médiévale.

Le jeu avec l'intertexte lyrique transparaît encore plus clairement quand intervient « la gaite de la tour » (« le guetteur de la tour ») qui annonce non pas l'instant redouté de la séparation des amants, mais, à l'inverse, la fin de la solitude de Térée et, pire encore, le jour du viol. En un mouvement parfaitement contraire à ce qu'elle provoque dans la lyrique, « la gaite de la tour » suscite ici la liesse du traître :

Et cil toute la nuit veilla,	Mais lui qui avait veillé toute la nuit
Que sa folie traveilla,	Et que sa folie avait tourmenté
Tant que la gaite de la tour	Jusqu'au moment où le guetteur de la tour
Commença a corner le jour.	Commence à sonner du cor
	pour annoncer le jour.
Quant il oÿ le jour au cor,	Lorsqu'il entendit le son du cor,
Qui li donnast .xxx. mars d'or,	Lui aurait-on donné trente marcs d'or,
Ne fust il pas d'assez si liez.	Sa joie n'aurait pas été aussi vive.

(PHI, v. 657-663)

Ce nouveau jour qui se lève sera, conformément à la tradition lyrique, l'ennemi des vrais amants, puisqu'il sera le théâtre du pire des crimes contre l'amour. Il n'en demeure pas moins que cette *Aube* inversée, à travers le sentiment de joie qu'elle suscite chez Térée, indique déjà que les nuits de ce récit s'inscrivent dans un tout autre registre que celui développé en poésie.

La mise en cause de la lyrique courtoise s'étend plus largement à une interrogation sur les pouvoirs de la parole. L'habile Térée convainc d'abord Philomena que son père est favorable à ce qu'elle l'accompagne alors qu'il interprète (faussement) le mutisme du roi Pandion en s'appuyant sur la valeur de consentement que la sagesse populaire attribue au silence (« Qu'assez otroie qui se taist » — « Qui ne dit mot consent », PHI, v. 316). Le perfide cherche ensuite à convaincre le roi Pandion de laisser sa fille l'accompagner. Rendu muet par la folie d'amour (« Toute a perdue la parole », v. 390), il échoue une première fois, mais se ressaisit et croit pouvoir vaincre la résistance du père à force de prières (« Et dist qu'encore veult essaier / S'il porra vaintre par proier », v. 493-494). Les beaux discours de Térée auront finalement raison des inquiétudes du roi et le traître obtiendra ce qu'il désirait (« Atant la parole est finee, / Que Thereüs plus ne demande », v. 580-581). La parole est certes puissante, mais potentiellement néfaste, et, surtout, elle n'est pas nécessairement au service de la vérité.

Ainsi, avant même sa mutilation, Philomena renonce à la parole devant les prouesses linguistiques de Térée. Pourtant, au dire même de l'auteur, la jeune fille se distinguait tout particulièrement par ses talents oratoires :

Et tant sot sagement parler	Enfin, elle savait si doctement parler
Que seulement de sa parole	Que, rien qu'en utilisant sa parole,
Seüst ele tenir escole.	Elle aurait pu tenir école.

(PHI, v. 202-204)

Ce don est d'ailleurs présenté à la suite de ses talents de musicienne (« Sous ciel n'a lai ne son ne not / Qu'ele ne seüst bien vïeler » — « Il n'existe pas au monde de lai, de mélodie, de musique qu'elle n'eût été capable d'interpréter à la vielle », PHI, v. 200-201), mais, surtout, il vient clore la présentation de la jeune fille qui, outre sa beauté exceptionnelle, insiste d'abord sur ses connaissances en matière de jeux (où elle surpasse deux héros « romanesques », Apollonius de Tyr et Tristan), de fauconnerie et de broderie. Sa maîtrise du chant et de la poésie vient donc en complément de sa connaissance des auteurs (« Des auctours sot et de grammaire », PHI, v. 194) dans un vers qui associe d'abord le chant et l'écriture (« Et sot bien faire vers et letre » — « Elle savait fort bien composer poèmes et écrits », PHI, v. 195[22]).

Le texte médiéval opposera finalement la rhétorique mensongère de l'igno-ble Térée aux écrits salvateurs des deux jeunes femmes. Car, avant même la tapisserie qui permettra à Philoména d'être libérée par sa sœur (tapisserie qui se présente comme un texte, sans même qu'il soit besoin de recourir à l'étymon, puisque le narrateur précise que « tot ot *escript* en la cortine », v. 1131), Chrétien a cru bon détailler la scène du sacrifice que fait Progné après avoir appris la fausse nouvelle de la mort de sa sœur. En plus d'ajouter les détails du bœuf saigné et sacrifié, le « romanceor » précise que Progné fit graver sur la stèle élevée pour le salut de l'âme de Philomena[23] une inscription « dans sa langue » (« Puis fist *escrire* en son langage » — « Puis elle fit graver ceci dans sa langue », v. 1049). En toute conscience, l'auteur de *Philomena*, peut-être le jeune Chré-tien de Troyes, repense la dynamique, alors essentielle à la littérature vernacu-laire, entre la lettre et la voix en insistant sur la puissance de l'écrit. En laissant la plainte amoureuse au traître pour donner le pouvoir de l'écriture à la femme violée et mutilée, le « translateur » de Philomena donne non seulement une place de choix à l'écriture, gravée ou brodée, au détriment de la parole vive, il rejette avec elle — à travers l'appel du rossignol au meurtre — le chant d'amour qui avait dominé jusqu'alors la production en langue vulgaire.

Chrétien de Troyes — s'il est bien l'auteur de *Philomena* — reviendra à de meilleurs sentiments à l'égard de l'amour avec le roman d'*Érec et Énide*, com-posé vers 1170. Il s'agit néanmoins d'un texte dont la dimension critique au sujet de la *fin' amor* n'est plus à démontrer puisque sa structure même — le mariage qui marque le début de la véritable conquête amoureuse — est contraire à l'esprit de l'amour courtois. Si avec *Érec et Énide*, et mieux encore avec *Cligès* puis avec *Le chevalier au lion*, Chrétien de Troyes peut entreprendre de réinventer l'amour à l'écart du monde des poètes[24], c'est précisément parce que la rupture

---

22. Le *vers* désigne souvent le poème en général, mais l'association ici avec la lettre (l'écriture) semble indiquer qu'il faille entendre par *vers* les compositions chantées (ou qui font l'objet d'une « performance » orale) à côté d'œuvres écrites.

23. « Dieux qui d'enfer ez rois et sires, / Pluto, de l'ame aies merci / De cele pour qui je fais ci / Ce sacrefice et ce servise, / En quel leu que li cors gise. » (« Dieu qui es le roi et le seigneur de l'enfer, Pluton, aie pitié de l'âme de celle pour qui j'accomplis ici ce sacrifice et ce rituel, quel que soit le lieu où repose son corps », PHI, v. 1052-1056).

24. Sur la singularité de l'art d'aimer développé dans les romans de Chrétien de Troyes et sur ses divergences avec la *fin' amor*, voir notamment Reto Bezzola, *Le sens de*

est alors consommée entre l'amour tel qu'on le chantait et les vicissitudes du désir telles qu'on peut les écrire.

TISSER LE LINCEUL DU CHANT

La rupture avec la tradition vernaculaire (lyrique aussi bien que narrative) est clairement revendiquée par Marie de France qui, vers 1160-1170, dit renoncer à la traduction « de latin en romanz[25] » pour choisir plutôt de conter « assez briefment » (prologue de *Guigemar*, v. 21) à partir des anciens lais bretons. Le Grand Œuvre que Marie de France entreprend à l'écart des « romanciers », qui l'ont précédée de peu avec leurs traductions/adaptations de la matière antique ou de l'*Histoire des rois de Bretagne*, passe par le choix assumé de ne plus simplement « translater » mais bien de « gloser la lettre » (prologue, v. 15). La reconfiguration de la matière première de l'écriture est clairement assumée par Marie de France qui signale sa position de maîtrise en présentant à ses auditeurs/lecteurs les variations linguistiques des sources auxquelles elle peut puiser. En s'interrogeant sur la nature particulière d'un travail d'écriture en langue vulgaire et en relation avec l'oralité, elle laisse entendre une autre voix et une autre façon d'écrire « en roman ». Cette autre façon d'écrire en langue vulgaire s'enracine dans un autre espace linguistique, celui des anciens Bretons, représentés par leurs *lais*.

Dans ces contes anciens « que hum fait en harpe et en rote » (« Qu'on joue sur la harpe et la rote », *Guigemar*, v. 885), l'amour est aussi chanté, mais il ne relève ni de l'érotique méridionale, ni de la tradition ovidienne. Dans le lai de *Guigemar*, la chambre de la fée est d'ailleurs ornée d'une scène fort éloquente :

La chambre ert peinte tut entur ;	Des peintures couvraient tous les murs de la chambre.
Venus la deuesse d'amur,	On y voyait Vénus, déesse de l'amour,
Fu tres bien mise en la peinture ;	Admirablement représentée :
[...]	[...]
Le livre Ovide, u il enseigne	Quant au livre d'Ovide, où il enseigne
Coment chascuns s'amur estreine,	À lutter contre l'amour,

l'aventure et de l'amour (Chrétien de Troyes), Paris, Éditions La Jeune Parque, 1947 et Michel Cazenave, Daniel Poirion, Armand Strubel et Michel Zink, *L'art d'aimer au Moyen Âge*, Paris, Éditions du Félin/Philippe Lebaud, 1997 et Francis Gingras, *E&M*.

25. Marie de France, *Lais*, Karl Warnke (éd.), trad. Laurence Harf-Lancner, Paris, Librairie générale française, coll. « Lettres gothiques », 1990 [1160-1170], « Prologue », v. 30. Toutes les références aux différents lais renvoient à cette édition bilingue.

En un fu ardant le getout	Elle le jetait en un feu ardent
Et tuz iceus escumenjout	Et excommuniait tous ceux
Ki jamais ce livre lirreient	Qui oseraient le lire
Ne sun enseignement fereient.	Et suivre ses leçons.

(*Guigemar*, v. 233-244)

Pour Marie de France, il s'agit donc à la fois de rejeter un certain art d'aimer, particulièrement en vogue dans cette période qu'on a qualifiée d'*ætas ovidiana*, pour lui opposer des récits d'amour et de merveilles empruntés aux anciens Bretons. Or, l'adaptation de l'art d'aimer aux récits brefs suppose de repenser encore une fois le lien entre le chant et l'écriture.

Le lien entre *aimer* et *chanter* n'est pas aussi essentiel dans les anciens lais bretons qu'il l'était dans le grand chant courtois ; l'amour y occupe néanmoins une place prépondérante et le chant est au cœur même de la définition de la forme primitive. L'étude sémantique de Lucien Foulet a conduit le philologue à conclure que « antérieurement à Marie, *lai* ne signifie que chanson ou mélodie ; et [que] comme c'est chez elle que nous trouvons le premier emploi du mot au sens de conte, narration, il semble assez naturel de lui en attribuer l'introduction dans la langue[26] ». Marie de France choisit comme source de son travail d'écriture un mot qui suppose un autre lyrisme (« qui dit *lai* dit chant » écrit encore Lucien Foulet), parallèle (mais étranger) à celui des troubadours, et qui renvoie à une autre langue portée essentiellement par la tradition orale. Le Grand Œuvre de Marie consiste alors à transmuer cette source ancienne, fondamentalement lyrique et fluctuante, en texte de « sun tens », essentiellement narratif et fixé par l'écriture, « pur remambrance ».

Cette alchimie du verbe se caractérise essentiellement par le passage de l'oral à l'écrit et Marie indique bien que son apport est d'abord de l'ordre de la transposition littéraire imposée par le passage à l'écriture. Au moment de présenter sa matière, les lais « que tous ont déjà entendus », elle la définit par son caractère essentiellement oral. Avant de le dédier à son roi, elle précise encore quelle a été la nature de son travail. Il ne s'agissait pas pour elle de se contenter de rapporter, ni même de traduire les récits des anciens Bretons, mais bien de les fondre dans la norme poétique :

26. Lucien Foulet, « Marie de France et les lais bretons », dans *Zeitschrift für romanische philologie*, n° 29, 1905, p. 303.

Plusurs en ai oï conter,	J'en ai entendu conter plusieurs [des aventures]
Nes voil laissier ne oblier.	Et je ne veux pas les laisser sombrer dans l'oubli.
Rimé en ai e fait *ditié*,	J'en ai donc fait des contes en vers
Soventes feiz en ai veillié !	Qui m'ont demandé bien des heures de veille.

(Prologue, v. 38-41)

Le passage du *dire* au *dit* marque le mouvement qui va de la voix du conteur à la plume du lettré. Marie semble assurée que la survie des anciennes chansons bretonnes passe par leur adaptation aux nouvelles normes littéraires courtoises : le choix du couplet d'octosyllabes et du support écrit (meilleur garant de la mémoire) sert de moteur à la promotion sociale et littéraire de ces histoires héritées de ces simples « Bretun » (v. 20) que mentionne le prologue du lai de *Guigemar* (premier lai des manuscrits *H* et *S*), devenus « li auncïen Bretun *curteis* » au terme du lai d'*Éliduc*, lai de clôture du manuscrit *H*, seul manuscrit à l'avoir conservé. Le travail d'écriture, dont Marie souligne avec insistance la difficulté, change la perspective sur les vieilles chansons bretonnes. Une fois que Marie touche au terme de son recueil, les lais se trouvent en quelque sorte anoblis et dignes de figurer aux côtés des autres récits courtois.

Au moment de présenter son projet, Marie l'expose en relation étroite avec l'écriture.

El chief de cest comencement,	Au terme de ce prologue,
Sulunc la letre e l'ecriture,	Conformément au texte écrit
Vos mosterrai une aventure.	Je vous exposerai une aventure
Ki en Bretaigne la Menur	Survenue en Petite-Bretagne
Avint al tens anciënur.	Il y a bien longtemps.

(*Guigemar*, v. 22-24)

Le renvoi à une source écrite (parfois toute virtuelle), s'il est déjà pratiquement un lieu commun du roman, est tout de même problématique pour *Guigemar* puisque le petit épilogue que Marie adjoint à son récit insiste sur le caractère musical du lai breton. On pourrait certes arguer qu'elle précise que le lai fut « trové », à partir « de cest cunte k'oï avez », mais, selon toute vraisemblance, c'est se méprendre sur le sens de *conte* dans les *Lais*. L'aventure est la matière première du récit, le conte en est la mise en forme primitive, la charpente narrative ou, plus précisément, la lettre du texte. Or, le travail de Marie ne se limite pas à conter, il s'agit pour elle de livrer les vérités profondes de vieilles traditions orales.

S'il est un mot qui, dans les *Lais*, désigne ce travail qui donne « le cunte e tute la raisun » (« l'histoire et toute la vérité », v. 2), conformément au prologue d'*Éliduc*, il s'agit plutôt de *dit*. On se souvient que, dans le prologue général, l'auteur affirmait que de ces lais que a «oï cunter», «rimé en [a] e fait ditié». L'épilogue d'*Équitan* prend le verbe dans un sens *a priori* plus général («Issi avint cum dit vus ai» — «L'aventure est bien telle que je vous l'ai rapportée», *Équitan*, v. 317), formule qui revient au terme du lai des *Deux amants*, contrastant avec la référence initiale au «lai qu'en firent les Bretons» (v. 254). Les vers de clôture du lai de *Bisclavret* («De Bisclavret fu fez li lais / Pur remembrance a tuz dis mais» — «On en a fait le lai de Bisclavret / Afin d'en conserver toujours le souvenir», *Bisclavret*, v. 317) indiquent bien qu'il s'agit de faire une œuvre dans le but précis de la *remembrance*, l'expression *a tuz dis mais* venant donner un caractère définitif à la parole proférée.

Cette nouvelle parole, en prise avec l'éternité du souvenir grâce au pouvoir de l'écriture, permet de repenser l'amour en des termes inusités dans l'univers érotique établi par le grand chant courtois. Entre autres, Marie de France donne une place particulière à la figure de la «malmariée» (*Équitan*, *Yonec*, *Laüstic*), connue par les chansons de femmes que la lyrique médiévale a eu tôt fait de récupérer, mais qui appartiennent à un registre étranger au grand chant courtois.

Les récits de rencontre entre une fée et un mortel (*Guigemar*, *Lanval*) sont aussi l'occasion de repenser quelques-unes des caractéristiques de l'amour chanté par les premiers troubadours. La valeur du secret y est ainsi revisitée. Dans ce type de récits, ce n'est plus l'interdit (ou l'impossible satisfaction du désir) qui assure la viabilité du chant, mais au contraire la transgression de l'interdit qui est la condition même de la progression narrative. Mieux encore, avec une histoire de loup-garou, comme le lai de *Bisclavret*, Marie de France va jusqu'à inverser le schéma traditionnel de la courtoisie (qui repose sur la toute-puissance de la Dame) puisque l'épouse est punie d'avoir aspiré à prendre la position dominante. Une telle histoire de loup-garou marque en fait la résurgence de peurs sexuelles que la *fin' amor* n'a pu canaliser. Les poèmes narratifs opèrent ce retour de craintes toujours vives en faisant appel à la figure traditionnelle du loup-garou et vraisemblablement à une variante du conte-type 449 de la classification Aarne-Thompson, intitulé «Le chien du tsar[27]». Marie de France signale aussi l'ancienneté de ces histoires[28], les rejetant de cette manière dans un passé

39

---

27. Laurence Harf-Lancner, «La métamorphose illusoire : des théories chrétiennes de la métamorphose aux images médiévales du loup-garou», dans *Annales. Économies, sociétés, civilisations*, vol. 40, n° 1, 1985, p. 221-224.

28. «Jadis le poeit hum oïr.» (*Bisclavret*, v. 5)

pré-courtois qui continue pourtant à faire frémir de désir et d'horreur les cour-
tisans d'Henri II Plantagenêt.

Même un récit dénué de merveilleux comme le lai du *Laüstic* offre un
exemple frappant de réécriture de la vieille histoire d'amour et de mort à
laquelle conduisait l'absolu de la *fin' amor*. Une malmariée et son voisin doivent se contenter de vivre leur amour en se regardant, de nuit à la fenêtre de
leur chambre. Cet amour purement visuel, sinon littéralement désincarné (« Delit
aveient al veeir / Quant plus ne poeient aveir » — « Ils goûtaient le plaisir de se
voir, / puisqu'ils ne pouvaient avoir plus », *Laüstic*, v. 77-78), est alimenté par le
chant du rossignol qui leur sert de prétexte pour se lever au milieu de la nuit.
La jouissance érotique des troubadours, le *joy*, se voit ainsi reportée sur le chant
du rossignol :

40

Il n'en ad joïë en cest mund	Il ne connaît pas la joie en ce monde,
Ki n'ot le laüstic chanter.	Celui qui n'entend pas le rossignol chanter.

(*Laüstic*, v. 84-85)

Mais, contrairement au fantasme lyrique, le chant de l'amour pur et parfait
ne suffit pas à alimenter le récit. L'oiseau médiateur se verra donc chargé de
métaphoriser la rencontre des corps que la narration ne saurait repousser éternellement ; ainsi le mari jaloux s'en prend-il à l'oiseau qu'il a piégé :

Le col li rumpt a ses deus meins.	Il lui tord le cou de ses deux mains,
De ceo fist ke trop vileins.	Ce geste était bien d'un vilain !
Sur la dame le cors geta,	Il jette le cadavre sur la dame
Si que sun chainse ensanglanta	Qui tache sa robe de sang
Un poi desur le piz devant	Sur le devant, juste devant la poitrine.

(*Laüstic*, v. 115-120)

Avec le silence de l'oiseau est rompue la répétition infinie des nuits de
contemplation amoureuse ; la fin du chant du rossignol est la condition nécessaire à la progression narrative. En termes amoureux, cette progression suppose,
au moins par le truchement du symbole, de signifier l'union des corps.

Après la jouissance procurée par le chant de l'oiseau et par la vision de
l'amant (là encore encadré par la fenêtre)[29], le cadavre de l'oiseau sera non

---

29. L'image de l'amant-oiseau est développée directement par Marie de France
dans le lai d'*Yonec*. Une malmariée y reçoit la visite d'un chevalier *faé* qui lui apparaît
sous la forme d'un vautour dès qu'elle en manifeste le désir.

seulement l'occasion d'incarner le désir et de laisser entendre la rencontre sexuelle par les taches de sang sur la chemise de la dame, mais mieux encore, il est littéralement ce qui permet le passage à l'écriture :

En une piece de samit	Dans une étoffe de soie
A or brusdé e tut escrit	Sur laquelle elle a brodé leur histoire en lettres d'or,
A l'oiselet envolupé.	Elle a enveloppé l'oiseau.

(Laüstic, v. 135-137)

Le morceau de tissu semble curieusement faire écho à une part perdue par l'aimé (« en une piece de samit / en une piece de s'ami »), manque que l'écriture/broderie de la dame se charge de combler puisque le cadavre enveloppé de l'édifiante broderie est transmis à l'amant.

41

Contrairement à la Dame, qui a su relancer « l'aventure » par la force de l'écriture, l'amant transforme l'oiseau-fétiche en relique :

Un vaisselet ad fet forgier ;	Il a fait forger un coffret
Unkes n'i ot fer ne acier	Qu'il n'a voulu ni de fer, ni d'acier,
Tuz fu d'or fin od bones pieres,	Mais d'or fin serti de pierres
Mult preciüses e mult chieres ;	Les plus précieuses,
Covercle i ot tres bien asis.	Avec un couvercle bien fixé :
L'aüstic aveit dedenz mis,	Il y a placé le rossignol
Puis fist la chasse enseeler.	Puis il a fait sceller cette châsse
Tuz jurs l'ad fete od lui porter. .	Que depuis il a toujours gardée près de lui.

(Laüstic, v. 149-156)

Le reliquaire protège le souvenir de l'oiseau, mais au prix d'un enfermement (« covercle i ot tres bien asis » — « avec un couvercle bien fixé », *Laüstic*, v. 153). Malgré la précaution prise par celui qui a cru pouvoir « enseeler » l'oiseau, l'aventure est relancée par la force du chant, celui des Bretons qui en firent un lai[30], avant que Marie — à l'image de la Dame — lui donne une nouvelle vie « sulunc la lettre et l'escriture ».

Au Moyen Âge, on a donc inventé et réinventé l'amour au moins deux fois en cinquante ans. Entre les premiers troubadours et les premiers romanciers, l'amour a changé de forme et de sens. Les plus anciens textes traduits « en

---

30. « Cele aventure fu cuntee, / Ne pot estre lunges celee. / Un lai en firent li Bretun. » (*Laüstic*, v. 157-159)

roman » ne sont pas seulement des témoins de ces transformations, ils expriment la tension qui existe entre les deux modes d'expression de l'amour qui se partagent alors la littérature vernaculaire. La libération de la contrainte formelle du grand chant courtois s'accompagne toutefois d'une perte que les premiers « translateurs » ont su mettre en scène : la perte de la transparence de l'énonciation poétique autour d'un *je* qui était sa propre justification.

En devenant la voix désincarnée du conteur, voire du conte lui-même (« Or dist li contes », peut-on lire dans les anciens romans, comme si le conte se générait lui-même), le romancier prend le risque de la *mimesis* : c'est-à-dire celui de donner un corps aux voix du désir, de les soumettre aux rythmes du temps, et donc à la mort. Les premiers romanciers l'ont fait en toute conscience. Derrière l'anecdote puisée (jamais innocemment) dans une source plus ou moins autorisée (d'Ovide aux anciens Bretons), les inventeurs du roman révèlent leurs enjeux éthiques (aimer autrement) et esthétiques (dire l'amour et non plus le chanter).

Leur interrogation sur l'amour est donc indissociable d'une interrogation sur le *médium* qu'ils ont choisi : la lettre sans la musique. Il ne s'agit pourtant pas d'un gué franchi sans possibilité de retour ou, pire, d'une « évolution » du lyrisme vers le narratif. Les récits sans musique qui parlent d'amour dans la deuxième moitié du XIIe siècle sont au contraire intimement façonnés par la tension entre le chant et le récit, entre le dire et le voir, entre la parole et la lettre et, finalement, entre le chant et l'écriture. On a pu écrire que l'amour en Occident était, pour l'essentiel, un héritage des troubadours et des plus anciens romanciers, notamment ceux du *Tristan*. Or, à la lecture de quelques-uns des plus anciens récits d'amour « en roman », il semble que penser la transformation de l'amour en Occident n'a de sens que si l'on veut bien penser simultanément la relation profonde que ces mutations entretiennent avec les changements dans les formes d'expression empruntées par une langue au statut alors incertain.

Qui plus est, cette relation n'est pas qu'un accident de l'histoire, un passage obligé à la « naissance » du roman. La relation entre l'amour, le roman et la musique reviendra souvent hanter une forme dont on a souligné à l'envi le caractère indéfini. Dès lors que la voix de l'amant-poète le cède à la voix narrative, la nouvelle forme « en roman » engage avec la musique un autre dialogue, que ce soit littéralement à travers l'insertion de pièces lyriques, comme chez Jean Renart ou Gerbert de Montreuil, ou par le biais d'un héros musicien, tel Tristan, avatar narratif de l'amant-poète. Quand, avec la fin du Moyen Âge, le roman se croira définitivement dégagé de la musique, la romance sera là pour rappeler les liens sans doute indissolubles entre le vieux sentiment amoureux, la musique et les lettres[31].

31. Entre la quatrième et la cinquième édition du *Dictionnaire de l'Académie*, la définition de la romance a changé. De « sorte de poësie en petits vers, contenant quelque ancienne histoire » en 1762, la romance devient « une petite pièce de vers faite pour être chantée, et dont le sujet est triste et élégiaque » et, « par extension, une chanson tendre » en 1798.

Fig. 1. François Chauveau, *Histoire d'Aglatidas et d'Amestris*, dans Georges et Madeleine de Scudéry, *Artamène ou Le Grand Cyrus*, première partie, 1649, coll. Bibliothèque nationale de France.

Les inventions de *Tendre*

DELPHINE DENIS

L'efflorescence de cartographies galantes — bagatelles avouables ou pochades satiriques — qui accompagne au milieu du XVIIᵉ siècle l'exploration de territoires sentis comme inédits n'obéit pas au seul effet de mode, certes indéniable[1]. La représentation spatiale, qu'elle se matérialise en gravures ou organise la logique implicite des discours, relève manifestement d'un souci de repérer, c'est-à-dire aussi de nommer, de nouvelles formes de sociabilité au sein desquelles se rejoue la difficile question des rapports entre hommes et femmes. Sécession précieuse, économie libertine des corps à l'encan, essais d'une politique des cœurs à accorder, les voies sont aussi diverses qu'inégalement frayées. Il y a là, souvent noté, le symptôme de l'inquiétude d'un siècle qui s'interroge sur la validité des anciens modèles du discours amoureux, et dont les propositions conflictuelles cherchent moins à se stabiliser qu'à confronter leurs frontières, à opposer leurs cadastres.

La littérature galante qui s'institue alors a su faire de cette vaste enquête un lieu de débats publics, ouvert par émulation à toutes les plumes du royaume, et surtout à des lecteurs nouveaux dont les libraires comprirent vite qu'il fallait s'attacher les suffrages en flattant leur goût pour ces colifichets de facture inégale. Que les démêlés du Cœur avec l'Esprit ou la Raison, les dialogues de

45

---

1. *Île d'Érotie, Carte de Tendre, Carte du Royaume d'Amour, Royaume de Coquetterie, Carte de l'Empire des Précieuses, Royaume de Galanterie, Carte du Pays de Braquerie, Pays d'Amour...* encore la moisson de ces géographies allégoriques est-elle incomplète : voir Enid P. Mayberry Senter, « Les cartes allégoriques romanesques du XVIIᵉ siècle. Aperçu des gravures créées autour de l'apparition de la *Carte de Tendre* de la *Clélie* en 1654 », *Gazette des beaux-arts*, vol. 89, nᵒ 1299, avril 1977, p. 133-144 et les analyses de Jean-Michel Pelous, *Amour précieux, amour galant (1654-1675)*, Paris, Éditions Klincksieck, 1980, p. 13-34.

l'Amour et de l'Amitié, de la Mode et de la Nature, les questions et maximes d'amour indéfiniment posées sans autre résolution que ce retour incessant d'une méfiance partagée aient pu alors conquérir tous les espaces de publication, du manuscrit à l'imprimé, des recueils collectifs aux Œuvres de tel ou telle, est un autre indice de la généralisation du discours sur l'amour, désormais promu véritable « médium de communication[2] ». Inventivité créatrice et innovations formelles ne furent pas en reste, qui expérimentèrent tous supports et tous prétextes à écriture : rarement fadaises variées en conscience trouvèrent-elles plus de crédit, conventions poétiques dominées plus de défis à relever, dans une surenchère accablante ou réjouissante — affaire de point de vue... De ce bavardage galant, qui rémunère paradoxalement le silence des corps dans les textes[3], et semble unifier les discours dans une tonalité commune faite d'ingéniosité, de raillerie légère, d'enjouement et de délicatesse, nombreux sont les observateurs qui se sont légitimement efforcés de dégager des lignes de clivage : l'adhésion apparente à cette esthétique ne réduit pas au silence ceux qui, de l'intérieur même, élaborent des propositions singulières, plus ou moins audacieuses, parfois irréductibles. Michel Jeanneret a tout récemment remis en sa lumière crue la force subversive des partisans de l'*Éros rebelle*[4] — au risque peut-être de minorer de plus discrètes résistances à la pudibonderie ambiante[5].

2. L'analyse en est proposée, en termes sociologiques, dans l'ouvrage de Niklas Luhmann, *Amour comme passion. De la codification de l'intimité*, trad. Anne-Marie Lionnet, Paris, Éditions Aubier, coll. « Présence et pensée », 1990 [1982]. Pour un essai de synthèse sur cette littérature galante dans la seconde moitié du XVIIe siècle, je me permets de renvoyer à mon *Parnasse galant. Institution d'une catégorie littéraire au XVIIe siècle*, Paris, Éditions Honoré Champion, coll. « Lumière classique », n° 32, 2001.

3. Voir Éric Méchoulan, *Le corps imprimé. Essai sur le silence en littérature*, Montréal, Les Éditions Balzac, coll. « L'univers des discours », 1999.

4. Michel Jeanneret, *Éros rebelle. Littérature et dissidence à l'âge classique*, Paris, Éditions du Seuil, 2003.

5. Mais il est vrai, pour une « Jouissance » — pourtant élégamment suggérée — qu'une rare plume féminine osa alors tenter (en l'occurrence, un sonnet de Mlle Desjardins, composé en 1657), combien de débauches pornographiques dans les recueils collectifs des années 1620... Parnasses « satyriques », « folastres » ou « gaillards » d'accès évidemment barré aux femmes, et devenu d'ailleurs de plus en plus périlleux après le procès de Théophile de Viau en 1623. Sur les premiers essais littéraires de la future Mme de Villedieu, voir l'étude de Micheline Cuénin, *Roman et société sous Louis XIV : Madame de Villedieu*, Paris, A.N.R.T-Champion, 1979, p. 104, et la bibliographie plus

Jean-Michel Pelous était revenu autrefois, dans un livre provocateur et stimulant, sur l'opposition entre préciosité et galanterie[6] : lues de près, nuancées voire infirmées, ses thèses auront eu le mérite de préciser les formes et les enjeux du discours mondain sur l'amour. Le Royaume de Tendre s'y révélait bien malaisé à situer, comme de nombreux travaux l'ont depuis confirmé[7]. Formation de compromis ambiguë et fragile[8], le Tendre s'avéra d'abord, au moment de son invention, un espace de médiations aux risques assumés. Que cette modulation particulière du sentiment ait pu trouver à s'accomplir dans des formes littéraires propres — genres et styles — contribua sans nul doute à en élargir les contours : non certes en direction des *Terres inconnues*, concédées à d'autres explorateurs, mais du côté d'une expression de l'affectivité, promise un siècle plus tard à un bel avenir.

C'est, témoigne Gilles Ménage, Madeleine de Scudéry qui inventa « l'Amour de Tendresse[9] » : on en pourrait même très précisément dater l'événement, consigné en sa première version dans le recueil manuscrit des *Chroniques du*

47

récente de Nathalie Grande, dans *Stratégies de romancières. De Clélie à La Princesse de Clèves (1654-1678)*, Paris, Éditions Honoré Champion, 1999, p. 473-474.

6. Jean-Michel Pelous, *Amour précieux, Amour galant (1654-1675)*.

7. On en trouvera une riche moisson dans la recension bibliographique de Chantal Morlet-Chantalat, *Madeleine de Scudéry*, *Bibliographie des écrivains français*, nᵒ 10, Paris-Rome, Éditions Memini, 1997, p. 81-87. À signaler surtout pour notre propos, l'article de Roger Duchêne, « Mademoiselle de Scudéry, reine de Tendre », dans *Les trois Scudéry*, *Actes du colloque du Havre (1ᵉʳ-5 octobre 1991)*, recueillis par Alain Niderst, Paris, Éditions Klincksieck, 1993, p. 625-632 ; celui de Myriam Maître, « Sapho, reine de Tendre : entre monarchie absolue et royauté littéraire », dans *Madeleine de Scudéry : une femme de lettres au XVIIᵉ siècle*, *Actes du colloque international de Paris (28-30 juin 2001)*, Delphine Denis et Anne-Élisabeth Spica (éd.), Arras, Artois Presses Université, 2002, p. 179-193 ; l'ouvrage de Joan DeJean, *Tender Geographies. Women and the Origins of the Novel in France*, New York, Columbia University Press, 1991, p. 71-93 ; l'étude de Chantal Morlet-Chantalat, *La Clélie de Mademoiselle de Scudéry, de l'épopée à la Gazette : un discours féminin de la gloire*, Paris, Éditions Honoré Champion, coll. « Lumière classique », 1994, p. 559-565.

8. Voir notamment Éric Méchoulan, *Le corps imprimé*, p. 67-114 ; Myriam Maître, *Les Précieuses. Naissance des femmes de lettres en France au XVIIᵉ siècle*, Paris, Éditions Honoré Champion, coll. « Lumière classique », 1999, p. 587-596.

9. Gilles Ménage, *Menagiana sive excerpta ex ore Ægidii Menagii*, Paris, Pierre et Florentin Delaulne, 1693, p. 398.

Samedi tenues par Paul Pellisson[10] (fig. 1), puis publié sous l'avatar romanesque qu'on lui connaît, dans la première partie de *Clélie* parue en 1654[11]. L'affirmation du savant ami de *Sapho* — tel est le nom de plume que la romancière s'était choisi — est cependant tout aussi fondée que peu véridique. Historiens et sociologues du for privé l'ont en effet montré[12], la progressive émergence de la notion d'intimité sur fond de pratiques de plus en plus différenciées rend peu à peu possible, et dès lors formulable, une conception nouvelle du lien interpersonnel, que le terme de *tendresse*, inconnu en ce sens au XVIe siècle, viendra désigner au tournant du siècle suivant[13]. On sait aussi ce que le modèle du Tendre doit, par l'intermédiaire de *L'Astrée* d'Honoré d'Urfé, à l'héritage

48

10. Composé au sein du cercle de Madeleine de Scudéry, entre l'été 1653 et l'hiver 1654, le manuscrit rassemble un choix de billets galants et de poésies échangés entre les principaux animateurs du groupe, l'académicien Valentin Conrart (sous le nom de Théodamas), son ami, coreligionnaire et futur confrère Paul Pellisson (Acante), enfin Madeleine de Scudéry elle-même (Sapho) — auxquels s'adjoignent ponctuellement d'autres épistoliers. Nous en avons procuré une édition critique : Madeleine de Scudéry, Paul Pellisson et leurs amis, *Les chroniques du Samedi. Suivies de pièces diverses (1653-1654)*, Alain Niderst, Delphine Denis et Myriam Maître (éd.), Paris, Éditions Honoré Champion, coll. « Sources classiques », 2002. Désormais les références à cet ouvrage seront indiquées par le sigle « CS », et placées entre parenthèses dans le corps du texte.

11. *Clélie*, que le sous-titre d'*Histoire romaine* apparente au genre du roman héroïque, est publiée à Paris, chez Augustin Courbé : la livraison de ses dix volumes s'échelonne de 1654 à 1660. Nous citerons dans l'édition procurée par Chantal Morlet-Chantalat, *Clélie*, Paris, Éditions Honoré Champion, coll. « Sources classiques », 2001-2004 pour les quatre premières parties (la cinquième à paraître en 2005). Désormais les références à cet ouvrage seront indiquées par le sigle « C », et placées entre parenthèses dans le corps du texte.

12. Notamment, bien sûr, Philippe Ariès et Georges Duby (dir.), *Histoire de la vie privée*, t. III, sous la direction de Roger Chartier, *De la Renaissance aux Lumières*, « Formes de la privatisation », Paris, Éditions du Seuil, coll. « L'univers historique », 1986, p. 159-394. Et aussi Maurice Daumas, *La tendresse amoureuse, XVIe-XVIIIe siècles*, Paris, Éditions Perrin, 1996.

13. Le *Dictionnaire universel* de Furetière retient cette acception : « Sensibilité du cœur et de l'âme. La délicatesse du siècle a renfermé ce mot dans l'amour et dans l'amitié. Les amants ne parlent que de *tendresse* de cœur, soit en prose, soit en vers ; et même ce mot signifie le plus souvent *amour* ; et quand on dit, J'ai de la *tendresse* pour vous, c'est-à-dire, j'ai beaucoup d'amour. » (Antoine Furetière, entrée « Tendresse », *Dictionnaire universel*, 1690)

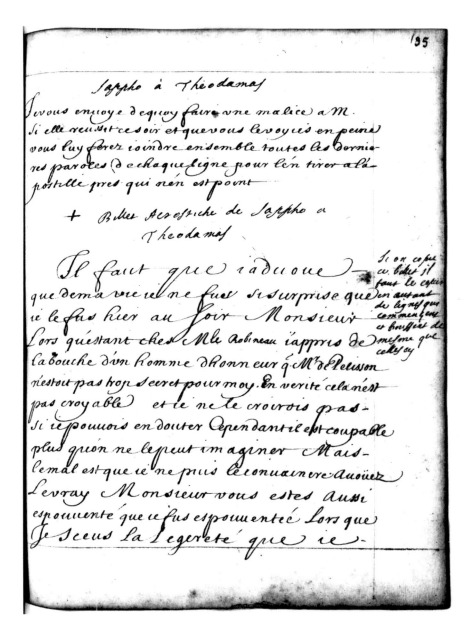

49

Fig. 2. *Les chroniques du Samedi* (1653-1654), Manuscrit 15156, Bibliothèque de l'Arsenal de Paris, f° 95, coll. Bibliothèque nationale de France.

courtois, moyennant bien des réaménagements[14]. À compter des années 1640 enfin, les ruelles féminines allaient offrir une scène nouvelle à la sociabilité mondaine : des formes de relations inédites s'actualisèrent alors, qui, au sein d'une civilité partagée dans un cercle choisi, permettaient peu à peu de nouer des amitiés électives centrées autour de ces femmes de prix — qu'on appela *Précieuses*.

Si l'on n'inaugure donc pas de toutes pièces une manière de ressentir, il n'en reste pas moins que tenter d'en fixer le discours, et d'en mettre en scène l'acte de naissance, peut s'interpréter comme un geste fondateur qu'il convient d'abord de restituer à ce premier mouvement. Or, deux « récits des origines » enserrent l'apparition de la célèbre *Carte de Tendre* (fig. 3), ainsi présentée comme un événement dont la dynamique n'importe pas moins que le contenu propositionnel. Le premier en date des deux textes, on l'a dit, est le manuscrit des *Chroniques du Samedi*, trop souvent interrogé comme simple document où se lirait en toute transparence l'histoire anecdotique de cette invention. Pourtant ce « témoignage » qui nous ferait entrer dans la fabrique de l'œuvre ne nous est transmis que sous une forme déjà médiatisée, mêlant avec une duplicité consciente les notes marginales, neutres et informées, du « Chroniqueur » directement concerné, et le corps du recueil proprement dit, constitué des billets galants échangés entre des protagonistes qui ne s'écrivent que sous couvert de pseudonymes — il est vrai parfaitement déchiffrables par tous les intéressés. S'il est licite, et d'ailleurs en quelque sorte prévu par le texte, de verser cette séquence au compte des archives de la création romanesque, encore faut-il prendre toute la mesure de ce travail de figuration littéraire effectué dans le manuscrit, qui interdit de replier sans précaution « l'œuvre sur le référent[15] » : de l'un à l'autre reste du jeu. De quoi s'agit-il en effet ? D'une amitié naissante (entre Madeleine de Scudéry et Paul Pellisson) dont les « progrès » vers plus d'intimité, partant plus de sincérité, non seulement se publient dans le recueil — publication contrôlée et réservée, mais effective malgré tout, puisque celui-ci circule dans le groupe, parfois même au-delà — mais encore recourent pour s'exprimer à d'ingénieuses galanteries, billets enjoués, métamorphoses para-

14. Voir Gerhard Penzkofer, *L'« art du mensonge ». Erzählen als barocke Lügenkunst in den Romanen von Mademoiselle de Scudéry*, Tübingen, Gunter Narr, 1998, p. 162-211.

15. Selon la mise en garde de Bernard Beugnot, « Œdipe et le Sphinx. Des clés », dans *La mémoire du texte. Essais de poétique classique*, Paris, Éditions Honoré Champion, coll. « Lumière classique », 1994, p. 227-242.

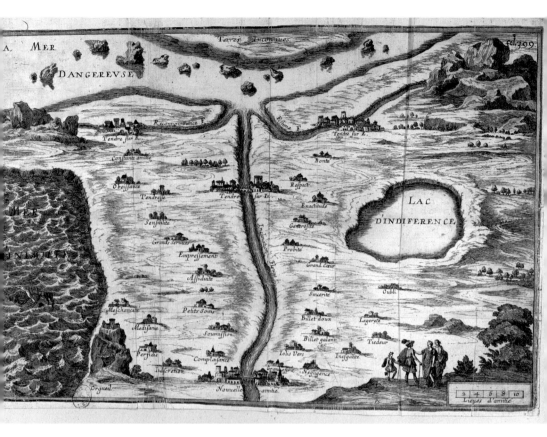

Fig. 3. François Chauveau, *La carte de Tendre*, dans Madeleine de Scudéry, *Clélie*, première partie, 1654, coll. Bibliothèque nationale de France.

doxales, allusions et jeux de mots. L'échange occupe deux longs billets rédigés dans le prolongement d'une conversation au Samedi de *Sapho*. Un « Argument » scrupuleusement consigné en note, écrit de la main de Pellisson (Acante) en fournit une précise contextualisation, et prévoit même, à terme, de « conserver soigneusement » les deux dessins successifs de la Carte :

Argument de ce qui suit.

En une conversation du Samedi, Sapho ayant fait sur le sujet de l'amitié une distinction entre ses nouveaux amis, ses particuliers amis et ses tendres amis, Acante demanda de quel rang il était, et on lui dit que c'était des particuliers. Il s'avisa de demander s'il y avait bien loin de Particulier à Tendre, et si un homme qui marcherait toujours en diligence pourrait espérer d'y arriver depuis le mois de novembre où on était jusques au mois de février qui était celui où finissaient les six mois que Sapho avait pris pour l'éprouver. Il lui fut répondu que ce serait suivant la route qu'il tiendrait, parce que s'il manquait le chemin il n'y arriverait jamais. Il demanda combien il y avait de routes. On lui dit qu'on y pouvait aller par eau, par terre et par air, et qu'il choisissait laquelle des trois il voulait : il dit que c'était la dernière comme la plus courte et qu'il trouverait plus tôt l'invention de voler. Sur quoi il fut parlé de plusieurs personnes qui avaient cru que cela n'était pas impossible. Sur quoi il écrivit deux jours après le billet suivant.

Cette galanterie au reste étant poussée plus avant donna naissance à la fameuse carte de Tendre, qui depuis a été mise dans le premier volume de Clélie.

Il faudra attacher ici ou après ce billet le premier projet de la Carte de Tendre qui fut fait ensuite au premier Samedi par Sapho en se jouant et y mettre aussi la carte qui a été gravée et imprimée depuis afin de conserver soigneusement cet original et de faire voir ce qu'on y a changé depuis, qui est fort peu de chose. (CS, p. 126)

Dans le premier billet, enchaînant plaisamment avec cette conversation, Pellisson s'imagine en mouche volante pour hâter le voyage de *Particulier* à *Tendre* ; il demande alors de plus amples précisions :

[...] je ne souhaite point d'être un aigle, non pas même un roitelet, et je me contenterais d'être une mouche : aussi bien ai-je déjà quelque rapport avec cet animal. Je ne fais guère de bruit. J'importune fort souvent mais je ne blesse jamais. J'aime furieusement les douceurs et bien qu'on m'accuse quelquefois d'être une fine mouche, il n'y a point d'autre bête qui se laisse plus aisément attraper que moi. Enfin nonobstant les autres incommodités qui s'y pourraient rencontrer, je vous l'avoue, je m'accommoderais extrêmement de cette métempsycose, pourvu que tout doucement et sans qu'on prît garde à moi j'arrivasse bientôt du pays *de Particulier à celui de Tendre*, où j'aspire depuis si longtemps. Mais, Mademoiselle, quand je serai ainsi métamorphosé et métempsychosé, de quoi je ne désespère pas, le moyen de ne me point égarer en chemin ? Voulez-vous qu'une pauvre mouche aille faire tout le tour du monde sans savoir où elle va ? Il ne faut qu'un coup de main pour la perdre. Le premier prince fainéant qu'elle trouvera (et vous savez qu'on en trouve assez) se divertira à la faire mourir, et au pis aller le froid de l'hiver ne manquera pas à la tuer si elle n'a fait son voyage avant les grandes gelées. Enseignez-lui donc de grâce, Mademoiselle, quelle route elle doit tenir, par quels lieux elle doit passer, quels dangers elle doit craindre et dites-lui le secret pour achever promptement sa course. (CS, p. 127-128)

La réponse de Madeleine de Scudéry poursuit sur le même ton, différant sans s'y refuser l'envoi « d'une petite carte de ce pays-là » (CS, p. 130). Du délai de six mois à l'épreuve duquel l'entrée de Pellisson dans *Tendre* est suspendue, les *Chroniques* marqueront ainsi les étapes, scandées par les divertissements littéraires du groupe. Le jeu s'étend cependant dans le petit cercle. D'autres candidats au voyage se déclarent, occasion pour rivaliser à leur tour d'ingéniosité dans l'accomplissement imaginaire du parcours : *Billets-doux* et *Jolis-Vers* seront autant de manifestations séduisantes de *Grand-Esprit*, tandis que les plus anciens admirateurs de Madeleine de Scudéry font de *Constante-Amitié* un droit d'accès prioritaire à *Tendre*. Sapho répond à chacun en public, assignant les places et rabattant les revendications abusives de tel ou tel. À Acante seul, elle signalera par des formules détournées l'arrivée imminente de l'« opiniâtre[16] » voyageur au Royaume de Tendre[17]. On le voit, de cette intimité à venir, le modèle qui se met en place ne cherche ni le secret, ni l'expression directe. De même que le chemin s'avère plus long qu'il ne semblait, mais d'autant plus agréable à parcourir[18], de même le tour figuré ménage, dans le délai nécessaire à l'application personnelle, le plaisir accru de deviner, celui redoublé d'offrir « une explication bien déliée et bien subtile » du demi-mot — parodie galante de la tradition humaniste du commentaire érudit :

> J'ai [...] fait de très grands et de très longs commentaires sur ce que vous me faites la grâce de me dire, que je suis plus éloigné que jamais de *Nouvelle Amitié*. Il me semblait qu'il eût été mieux de dire *plus proche de Tendre* et je vous ai accusée deux ou trois cents fois d'avoir eu la dureté d'éviter ce mot. Toutefois enfin, comme un critique bien expert quand il ne peut pas trouver autrement son compte dans son auteur, j'ai inventé une explication bien déliée et bien subtile de laquelle je voudrais bien que vous demeurassiez d'accord. Je dis donc qu'il est beaucoup mieux que *je sois bien loin de Nouvelle Amitié* que non pas si *j'étais bien proche de Tendre* (excusez l'expression, c'est du français de commentaire), et ma raison est que si un homme était assez heureux pour être *dans Tendre* même, il pourrait dire qu'*il est*

16. Telle est l'épithète de Pellisson dans les *Chroniques du Samedi*.

17. « [...] je puis vous assurer sans mensonge, que jamais nul ami, amant, n'a été si près de *Tendre* que vous : après cela, n'en demandez pas davantage si vous ne voulez être refusé. Au reste j'ai encore à vous avertir, que je n'ai jamais eu la peine de dire à ce petit nombre d'amis privilégiés que j'ai eu en ma vie, qu'ils étaient arrivés à *Tendre* : car à vous dire la vérité, quand on y est on s'en aperçoit, et ceux qui ne s'en aperçoivent pas, ne sauraient jamais qu'ils y auraient été. » (CS, p. 240) et « Mettez-vous donc l'esprit en repos s'il est vrai que vous l'ayez en peine, et croyez que vous ne fûtes jamais si loin de *Nouvelle Amitié* que vous êtes. » (CS, p. 255)

18. « Au reste j'ai connu quelques gens en ma vie qui avaient été de *Particulier* à *Tendre* et qui y avaient même été par le chemin le plus long. Cependant ils m'assurèrent qu'ils ne s'étaient pas ennuyés de sa longueur et qu'il y avait mille agréables choses à voir en y allant, qui divertissaient assez. » (CS, p. 130)

plus loin que jamais de Nouvelle Amitié. Mais il ne pourrait pas dire sans incongruité qu'il est plus *proche de Tendre que jamais*, car on n'est point proche des lieux dans lesquels on est. En cas que vous jugiez cette interprétation raisonnable, je veux bien mourir si je n'aime mieux l'avoir trouvée que toutes celles des Lipse, des Heinsius et des Saumaise. («Acante à Sapho», CS, 256-257)

De ce premier récit d'invention, quelques lignes de force se dégagent. C'est dans le cadre d'une compagnie choisie, où le travail de «distinction» (CS, p. 126) se fonde sur les degrés de proximité affective, qu'a pu être proposée la formule de l'amitié tendre. *Amitié*, et non *amour*, comme les proches de Sapho l'ont parfaitement compris[19], de surcroît exclusive de tout autre mode d'attachement, et susceptible de réelles jalousies. D'une sociabilité plus généralement consentie, Madeleine de Scudéry isole donc un lien d'élection, auquel l'accès supposé désirable n'est en rien garanti. S'il appartient au secret des cœurs d'en éprouver la réussite, le modèle est cependant publiable, convertissant alors la description galante en code de comportement moral. Prescriptif? Sans doute moins qu'il n'y paraît, car on ne s'engage que de plein gré pour pareilles tribulations. Normatif? À coup sûr non, puisqu'il n'entend pas s'imposer comme l'unique modalité des relations interpersonnelles, et demeure au contraire réservé au petit nombre de ces voyageurs exigeants: beaucoup d'ailleurs s'égarent en route, dont la *Gazette de Tendre*[20] évoquera avec humour les regrettables errances. Enfin, ces jeux d'esprit dont la productivité encombrante, voire lassante, semble contredire la légèreté affichée, ont pu paraître à ce point mériter une «histoire» qu'il leur fallut un «Chroniqueur» dévoué: le recueil manuscrit s'y emploie, rassemblant pour d'aléatoires lecteurs une archive à son tour en attente d'historiens, de glossateurs prolixes et de critiques soupçonneux. Savoir rétrospectivement que les *Chroniques* inauguraient enfin, sur le plan strictement biographique, une amitié indéfectible de plus de quarante ans entre les deux principaux auteurs du recueil ne va pas sans troubler quelque peu l'injonction d'une séparation méthodique entre la création littéraire et la vie vécue dont il

19. Par exemple, dans ce madrigal de Jacques de Ranchin, également conservé dans les *Chroniques*: «Car avant que la Carte fût,/Le moyen alors de comprendre/Qu'il était une *amitié tendre*,/Qui diffère autant de l'amour/Que la nuit diffère du jour?» (CS, p. 261)

20. Conservée dans le Recueil Conrart (Bibliothèque de l'Arsenal, Ms. 5414, f°s 147-158). Nous l'avons reproduite dans les annexes de l'édition citée des *Chroniques du Samedi*, p. 306-321.

serait « scientifiquement » plus confortable de préserver l'étanchéité — mais que cette littérature elle-même nous invite au contraire à mettre en question de front.

Le second récit d'invention, bien connu, accompagne dans le premier volume de *Clélie* l'apparition de la *Carte de Tendre* gravée par François Chauveau, immédiatement suivie de sa glose — dans la plus riche tradition herméneutique de l'*ecphrasis*[21]. Cette fois encore, Madeleine de Scudéry avait pris soin d'en circonstancier l'événement. Une longue conversation, écho stylisé de celle tenue au Samedi de Sapho, avait en effet introduit, une centaine de pages plus haut, le thème de la *tendresse*. Il s'agissait de définir sa véritable nature au moyen de « peintures » fidèles, pour résister aux usages inflationnistes du mot, sources d'une grave dévaluation sémantique[22]. Abus terminologique qui vient signaler la désaffection des conduites, rapportées à une civilité indistincte aussi nécessaire qu'aisément falsifiable. Pour redonner force au mot, que sa récente introduction dans le lexique exposait aux redoutables effets de mode, il faut donc en passer par le travail inverse de séparation — de distinction : mieux que par l'analyse sémantique *ab abstracto*, c'est dans la fine description des comportements que cet essai de définition[23] entend trouver sa pertinence. Ainsi mots et choses verraient-ils comblé l'écart qui les disjoint dans le tout-venant des relations humaines. Deux exposés se succéderont, confiés aux plus experts en la matière, et distribués selon les règles de la bienséance (convenance des caractères, adhésion aux valeurs supposées communes) : à Clélie le soin de peindre l'amitié tendre, tandis qu'Aronce se fera le chantre inspiré de la tendresse amoureuse. Pour l'un comme pour l'autre, il semble bien que le « tendre » fasse mieux que caractériser une modalité particulière du lien amical

21. Voir Anne-Élisabeth Spica, *Savoir peindre en littérature. La description dans le roman au XVIIe siècle : Georges et Madeleine de Scudéry*, Paris, Éditions Honoré Champion, coll. « Lumière classique », 2002, p. 332-340.

22. « — Tant de gens s'en servent aujourd'hui, répliquai-je [Célère, narrateur de ce récit pour la princesse des Léontins], qu'on ne saura bientôt plus sa véritable signification. — Je voudrais pourtant bien empêcher, dit Clélie, que ce mot qui signifie une chose si douce, si rare, et si agréable, ne fût profané ; cependant, comme l'a dit Célère, tout le monde s'en sert aujourd'hui. — En mon particulier, répliqua Sozonisbe, je vous promets de ne m'en servir jamais si je ne le dois, pourvu que vous veuilliez bien me faire entendre sa véritable signification. » (C, p. 115)

23. Au double sens du terme, littéral (établissement de frontières) et logique (définition dite « imparfaite » par la description non exhaustive des propriétés en jeu).

ou amoureux : il en achève les virtualités sémantiques, le syntagme venant alors désigner la forme accomplie, seule digne de ce nom, de l'amitié ou de l'amour. C'est qu'elle met en jeu la dimension *sensible* de la personne[24], gage de la densité et de la richesse de la relation à l'autre :

> Mais pour bien définir la tendresse, je pense pouvoir dire que c'est une certaine sensibilité de cœur, qui ne se trouve presque jamais souverainement, qu'en des personnes qui ont l'âme noble, les inclinations vertueuses, et l'esprit bien tourné, et qui fait que, lorsqu'elles ont de l'amitié, elles l'ont sincère, et ardente, et qu'elles sentent si vivement toutes les douleurs, et toutes les joies de ceux qu'elles aiment, qu'elles ne sentent pas tant les leurs propres. C'est cette tendresse qui les oblige d'aimer mieux être avec leurs amis malheureux, que d'être en un lieu de divertissement ; c'est elle qui fait qu'ils excusent leurs fautes, et leurs défauts, et qu'ils louent avec exagération leurs moindres vertus. C'est elle qui fait rendre les grands services avec joie, qui fait qu'on ne néglige pas les petits soins, qui rend les conversations particulières plus douces que les générales, qui entretient la confiance, qui fait qu'on s'apaise aisément, quand il arrive quelque petit désordre entre deux amis, qui unit toutes leurs volontés, qui fait que la complaisance est une qualité aussi agréable à ceux qui l'ont, qu'à ceux pour qui on l'a, et qui fait enfin toute la douceur, et toute la perfection de l'amitié. (C, p. 118)

Égards, attentions, complaisance, délicatesse en sont autant de manifestations qu'on voudrait croire impossibles à singer, et qu'en retour une « âme tendre » saura reconnaître sans risque de s'y méprendre :

> On peut sans doute se déguiser quelquefois ; mais ce ne peut être pour longtemps ; et ceux qui se connaissent en tendresse, ne s'y sauraient jamais tromper. En effet toutes les paroles, tous les regards, tous les soins, et toutes les actions d'un amant qui n'a point le cœur tendre, sont entièrement différentes de celles d'un amant qui a de la tendresse ; car il a quelquefois du respect sans avoir d'une espèce de soumission douce, qui plaît beaucoup davantage, de la civilité sans agrément, de l'obéissance sans douceur, et de l'amour même, sans une certaine sensibilité délicate, qui seule fait tous les supplices, et toutes les félicités de ceux qui aiment, et qui est enfin la plus véritable marque d'une amour parfaite. (C, p. 120-121)

Dès lors, galanterie et tendresse se confortent sans se confondre : « La tendresse a encore cela de particulier qu'elle lui donne même je ne sais quel caractère de galanterie qui la rend plus divertissante ; elle inspire la civilité et

---

24. La famille lexicale de l'adjectif *sensible*, et son champ sémantique, sont omniprésents dans cette conversation.

l'exactitude à ceux qui en sont capables. » (C, p. 117) Au-delà des signes partagés de la civilité, c'est dans le secret des cœurs que s'en éprouve la valeur.

Présentés en diptyque, ces deux volets de la définition du *Tendre* dessinent un espace commun où l'amour et l'amitié se rencontrent, distingués cependant nettement l'un de l'autre[25]. Une même sensibilité se voit dès lors créditée aux hommes et aux femmes, ouvrant à toute la gamme des relations intimes. On comprend mieux ainsi les diverses lectures auxquelles a pu se prêter la célèbre Carte, dont *Clélie* fournit, après les *Chroniques*, le récit d'origine. L'« argument » initial, déplacé dans ce nouveau contexte, nous reconduit à la distinction des formes d'amitié désormais opérée par l'héroïne du roman : c'est pour répondre à la requête d'Herminius — nouvel avatar d'Acante-Pellisson — reprise en chœur par le groupe, que Clélie relève la gageure de « dresser la carte d'un pays, dont personne n'avait encore fait de plan. » (c, Ire partie, livre I, p. 180) Double défi que cette commande, dont la livraison aura été précautionneusement consignée en amont, à toutes les étapes de son invention ; c'est que, s'en inquiète Clélie, les périls encourus par une divulgation décontextualisée de cette « bagatelle » ne sont pas négligeables :

> Je sais bien, poursuivit-elle, que ceux qui savent que cela a commencé par une conversation qui m'a donné lieu d'imaginer cette carte en un instant, ne trouveront pas cette galanterie chimérique ni extravagante ; mais comme il y a de fort étranges gens par le monde, j'appréhende extrêmement qu'il n'y en ait qui s'imaginent que j'ai pensé à cela fort sérieusement, que j'ai rêvé plusieurs jours pour le chercher, et que je crois avoir fait une chose admirable. Cependant c'est une folie d'un moment, que je ne regarde tout au plus que comme une bagatelle qui a peut-être quelque galanterie, et quelque nouveauté, pour ceux qui ont l'esprit assez bien tourné pour l'entendre. (c, p. 185-186)

25. Plus loin dans le roman, une autre conversation d'égale importance reprendra sur nouveaux frais cette question : le glissement progressif de l'amitié à l'amour, évoqué par Herminius, prétendra fonder la perfection du sentiment amoureux sur la base de celle de l'amitié. « [...] l'amour et l'amitié se mêlent comme deux fleuves, dont le plus célèbre fait perdre le nom à l'autre. Mais après tout, les eaux du plus petit y sont effectivement aussi bien que celles du plus grand ; de sorte qu'encore qu'un ami qui est devenu amant, dise toujours alors qu'il a de l'amour, et ne dise plus qu'il a de l'amitié, il est pourtant certain que ces deux sentiments-là sont dans son cœur, quoiqu'il ne les puisse presque plus discerner ; et il est constamment vrai qu'une amour de cette espèce, est plus parfaite que l'autre. » (c, IIIe partie, livre V, p. 129)

Que cette « morale d'amitié », ainsi que la désigne Célère, ait pu être comprise comme un itinéraire amoureux — et souvent contesté comme tel, qu'on le jugeât hypocritement licencieux[26] ou prude à l'excès[27] — ne relève pas, loin s'en faut, du contresens. Les efforts déployés par Madeleine de Scudéry pour en régler l'interprétation sont bien le symptôme d'une difficile stabilisation : l'invention de l'amitié tendre et sa précise cartographie couraient inévitablement le risque d'être appliquées à l'autre espace de l'intimité affective. Les lecteurs en effet ne pouvaient manquer de se souvenir qu'Aronce avait fait l'éloge de la tendresse amoureuse ; d'autre part, plusieurs romans du début du siècle entretenaient l'ambiguïté, renvoyant dans leurs titres les amours des héros à la catégorie alors englobante de « l'honneste amitié », modèle éprouvé sur lequel penser le parfait amour[28]. Surtout, la définition même du roman imposait pareil déplacement : la formule proposée quelques années plus tard par Pierre-Daniel Huet (« des histoires feintes d'aventures amoureuses, écrites en prose avec art, pour le plaisir et l'instruction des lecteurs[29] ») fait de la matière amoureuse une composante constitutive du genre. L'histoire principale d'Aronce et de Clélie elle-même, qui entendait pourtant se tenir en deçà « des dernières bornes de l'amitié » (C, Ire partie, p. 184), confirmera bien vite la validité de cette définition. Comment alors ne pas être tenté de lire la *Carte* comme un vaste programme narratif, dont les diverses histoires enchâssées du roman actualiseront les possibles ? Mieux encore qu'avec le couple de ces parfaits amants, le lecteur trouvera dans la IIIe partie du roman, avec l'« Histoire d'Herminius et de Valérie » une illustration exemplaire de la cohérente plasticité de *Tendre*.

26. On peut relire notamment Nicolas Boileau, *Satire* X, v. 158-164, Jean-Pierre Collinet (éd.), Paris, Éditions Gallimard, coll. « Poésie », 1985 [1657], p. 127. Madeleine de Scudéry fut même par d'autres chansonnée en « maquerelle »…

27. Des chemins plus directs vers *Tendre*, moins éthérés, avaient été proposés sous forme ironique : la voie érotique des « Bijoux » est ainsi pour Segrais la plus sûre. Voir à ce sujet Jean Regnault de Segrais, *Diverses poésies*, Paris, Antoine de Sommaville, 1658.

28. L'exemple de *L'Astrée*, roman fondateur pour la création scudérienne, s'impose ici avec force ; on rappellera le titre sous lequel parut en 1607 (chez Toussaint Du Bray) la première partie de l'ouvrage : *Les douze livres d'Astrée, où, par plusieurs Histoires et sous personnes de Bergers et d'autres, sont déduits les divers effets de l'honnête amitié*. Sur la prégnance du paradigme de l'amitié dans cette période, voir Maurice Daumas, *La tendresse amoureuse*, p. 94-118.

29. *Lettre de Monsieur Huet à Monsieur de Segrais. De l'origine des romans* (Préface de *Zaïde*), Fabienne Gégou (éd.), Paris, Éditions Nizet, 1971 [Paris, Claude Barbin, 1670], p. 46-47. Le Tasse avait déjà indiqué ce lien du *romanzo* à la topique amoureuse.

Se croyant d'abord ami de Valérie, Herminius fera peu à peu l'expérience du sentiment amoureux. C'est au terme de *tendresse* qu'il appartiendra de ménager la transition :

> [...] Herminius ayant pris le mot d'amitié en haine, et n'osant proposer celui d'amour, il ne se servait que de celui de tendresse pour exprimer les sentiments qu'il avait pour elle. (C, IIIᵉ partie, livre I, p. 96)

avant que soit enfin désignée, au risque de la déclaration d'amour, la nature de cette affection :

> Querellez-moi donc Madame, reprit-il, car je vous assure que j'ai voulu dire le mot d'amour, et qu'il n'y en a point d'autre en notre langue, qui puisse exprimer ce que je sens pour vous [...]. Je ne sais même, poursuivit-il, si vous ne le savez point devant moi ; car je vous avoue que quelque tendresse que j'aie pour vous, la pureté de mon affection, faisait que je la prenais pour de l'amitié ; mais à n'en mentir pas, son ardeur me la fait aujourd'hui bien connaître. (C, p. 96-97)

La vertueuse Valérie aura beau essayer de s'en tenir à la formule moins coûteuse de l'amitié tendre[30], Herminius ne veut plus de ce flou sémantique :

> Ha Madame [...], ne me défendez point la plus douce et la plus agréable parole du monde, pour ceux qui ont dans le cœur la passion qu'elle exprime. Car enfin le mot d'amour a quelque charme secret qui émeut le cœur d'un amant qui le pro-nonce, et qui touche celui de la personne qui l'entend, quand elle a une véritable tendresse dans l'âme. Celui d'affection est un mot douteux, qui convient à l'amitié comme à l'amour ; celui de tendresse tout obligeant qu'il est, peut être aussi em-ployé à ces deux choses. (C, p. 98)

Les étapes de la *Carte* une à une franchies[31] « Valérie s'adoucissant peu à peu, permit à Herminius de l'aimer » (C, p. 99), à la condition de ne jamais en prononcer le mot... Comme il faut pourtant faire avancer l'intrigue, et malgré

---

30. « Je vous promets [...] de faire pour vous tout ce que je pourrai, et d'attribuer toujours à la tendresse de votre amitié, tous les soins que vous aurez pour moi, tant que vos paroles ne s'opposeront pas à l'opinion avantageuse que je veux avoir de vous. » (C, p. 98)

31. « Mais à la fin Herminius fit tant de choses obligeantes, que le cœur de Valérie en fut attendri, car il prenait tous ses désirs, quand il les pouvait deviner ; il contribuait de cent manières différentes à son divertissement ; il rendait office à toutes les personnes qu'elle aimait ; il n'avait plaisir en aucun lieu que lorsqu'il la voyait ; il était le plus respectueux de tous les hommes ; il lui écrivait mille agréables douceurs, dont elle ne se pouvait offenser [...]. » (C, p. 99)

tout (se) parler d'amour, l'expédient imaginé par le couple ne surprend pas, qui choisit de cacher sous «une civilité universelle [...] l'estime particulière» (C, p. 100) qui les unit: derrière la galanterie des comportements se décèle l'intimité du Tendre. C'est aux ressources de l'écriture stéganographique que sera confié le secret des cœurs, publiquement avouable sous les espèces de l'amitié, mais réservé en sa véritable essence:

> Herminius [...] convint avec Valérie, que le mot d'amitié voudrait dire amour entre eux, soit qu'il lui parlât, ou qu'il lui écrivît. Et en effet la chose étant ainsi concertée, Herminius écrivait des billets à Valérie, qui ne passaient que pour des billets d'amitié, et qui étaient pourtant des billets d'amour. (C, p. 99)

Ambivalence pourtant périlleuse du stratagème: pareil mode d'expression **60** ne risque-t-il pas en effet de ruiner la distinction récemment établie entre ces deux modalités de la relation interpersonnelle? Aussi faut-il l'assortir d'un chiffre qui métamorphosera aux yeux des intrus cette correspondance amoureuse en «galimatias d'amitié» (C, p. 133):

> [...] lorsqu'ils étaient tombés d'accord entre eux, que dans leurs billets le mot d'amitié voudrait dire amour, [...] Valérie avait demandé à Herminius comment elle ferait, lorsque dans un même billet elle voudrait se servir du mot d'amitié, pour signifier simplement amitié. De sorte que comme Herminius est fertile en inventions, il lui avait dit que lorsque le mot d'amitié ne voudrait point dire amour, il faudrait l'écrire avec une grande lettre au commencement, et que lorsqu'il voudrait dire amour, il faudrait l'écrire avec une petite seulement. (C, p. 134-135)

L'artifice graphique sera vite découvert, mais l'irréprochable conduite des protagonistes parviendra à le reconvertir, pour les indiscrets, en «malices innocentes» et «simple jeu d'esprit» (C, p. 138 et 139). Ainsi l'aventure amoureuse déguisée en ingénieuse galanterie peut-elle déjouer la curiosité publique, et de nouveau réserver au for privé des seuls intéressés la juste qualification du sentiment: bagatelle dont la duplicité protège en réalité l'authenticité vécue... Comment ne pas rétrospectivement reporter sur la *Carte de Tendre* la possibilité de pareille réserve? La boucle se referme, de surcroît, en son point d'origine, puisque l'«Histoire d'Herminius et de Valérie» emprunte elle aussi quelques-uns de ses épisodes aux *Chroniques du Samedi*. Dans le recueil manuscrit, en effet, Acante-Pellisson avait galamment pu s'acquitter de deux injonctions contradictoires[32] par le truchement d'un billet acrostiche à Sapho, avouant sa ruse

---

32. Faire tenir sans tarder à Madeleine de Scudéry des vers de son ami Thrasile (le poète Samuel Isarn), auquel il avait promis de laisser la priorité de l'envoi: deux «exactitudes» simultanément intenables.

à la lettre sans pour autant trahir la promesse faite à l'ami trop zélé ; réponse de la bergère au berger, Sapho l'avait ensuite « attrapé » par une astuce graphique de plus grande finesse encore (CS, p. 94-95). Ces deux billets, accompagnés du commentaire de leurs effets (déception et brouille passagères, plaisir et soulagement lors de la résolution de l'énigme, connivence accrue entre les épistoliers), se retrouvent à peine modifiés dans la troisième partie du roman (C, p. 104-105 et 112-113)[33]. Autant d'« agréables mensonges » qui délivrent, à qui sait déchiffrer, la vérité secrète qu'une formulation directe aurait paradoxalement interdite. Épigramme en vers cachée sous la prose, aveux tout à la fois lisibles et cryptés, dont l'acrostiche livrera le fin mot, on conviendra avec Herminius que « les apparences sont bien souvent fort trompeuses »... (C, p. 105) À aucun moment cependant, la galanterie n'aura fait sécession avec la tendresse. Car si c'est du côté de *Grand-Esprit* ou d'*Empressement*, d'*Exactitude* ou d'*Obéissance* qu'il faut en l'occurrence situer cette série d'échanges, on sait par ailleurs nos héros embarqués pour un voyage amoureux.

On se gardera d'en faire trop vite l'application aux épistoliers des *Chroniques*, puisque c'est sous le masque de noms romanesques qu'ils avaient souhaité figurer : médiation littéraire explicite (Sapho, Théodamas, Agélaste, Thrasile et tant d'autres sont tout droit sortis de la précédente fiction scudérienne, *Artamène ou Le Grand Cyrus* ; quant à Acante, sa fortune poétique est assurée depuis plusieurs décennies, et La Fontaine en prolongera peu après la postérité[34]) qui sert de garde-fou contre semblable tentation.

Le *Tendre* confirme donc, à plus d'un titre, l'analyse de Niklas Luhmann qui voit dans les mutations du code amoureux la « constitution d'un médium de communication généralisé au plan symbolique, auquel est assignée la tâche spécifique de permettre, de cultiver et de favoriser le traitement communicationnel de l'individualité ». En partie accompli au milieu du XVIIe siècle, ce processus aurait contribué à mettre en place la pensée d'un « monde privé commun[35] », en distinguant des anciennes solidarités ainsi que de l'indivis des

---

33. Palimpseste supplémentaire, plus loin dans l'histoire, Valérie croyant Herminius mort et inconstant, demandera copie de tous les billets échangés entre Clélie et Herminius qu'elle soupçonne d'être amants, ainsi que de la *Carte de Tendre*. La lecture de cet ensemble, et l'examen attentif des chemins oublieux de la *Carte* — jusqu'au *Lac d'Indifférence* — la conforteront dans sa douloureuse méprise. (C, p. 165-169)

34. Voir sur ce point Judd D. Hubert, « La Fontaine et Pellisson, ou le mystère des deux Acante », *Revue d'histoire littéraire de France*, vol. 66, n° 2, avril-juin 1966, p. 223-237.

35. Niklas Luhmann, *Amour comme passion*, p. 26 et 28.

rapports sociaux, de plus en plus diversifiés, une relation progressivement plus personnelle, confidentielle. Mais, à côté du modèle de « l'amour passion » que privilégie son étude, et qui trouvera son accomplissement dans la posture romantique du XIXe siècle — jusqu'en ses avatars modernes —, la voie « moyenne » de *Tendre* a pu constituer une alternative optimiste aux conflits sans cesse réaffirmés de l'Amour et de la Raison, et offrir un espace de médiation où l'amour et l'amitié, désormais nettement différenciés, partageraient néanmoins la même exigence d'un lieu intime, authentique, librement consenti, discrètement ménagé au cœur des pratiques de sociabilité. Et si la galanterie bienséante continue de prendre en charge les jeux de rôles inégalitaires entre hommes et femmes, de souffrir exagérations et paradoxes[36], il n'appartient qu'au pays de *Tendre* d'imaginer tout à la fois une relation inédite entre les sexes, autant fondée sur le mérite — *Estime* et *Reconnaissance* — qu'entraînée par la force de l'*Inclination*, et d'en tenter alors une nouvelle forme d'expression littéraire : accordée aux critères de l'esthétique galante, mais infléchie par cette modulation spécifique du style. En partie héritière de l'ancienne catégorie de la « douceur », celle-ci permet de vérifier, en dernière analyse, le statut de *Tendre* comme lieu de médiations, cette fois sur le plan esthétique. Le champ des représentations socioculturelles débouche alors sur un ensemble de manifestations stylistiques, qui n'en sont pas simples reflets ni traductions.

C'est en ce point que l'enquête sur les inventions de *Tendre* doit s'assortir d'études précises consacrées à ses formes d'expression. La belle conversation, l'art périlleux du compliment ou de la déclaration d'amour, la technique du portrait ou de la description, ont déjà permis de mieux comprendre la logique souterraine qui anime cette généreuse mais fragile stylisation du monde, nécessairement silencieuse ou peu diserte sur des défauts dont il revient en revanche au « roman comique » ou aux œuvres satiriques de faire l'inventaire sans concessions.

Car le *Tendre* est d'abord affaire de discours : paraphrases en prose et variations versifiées (églogues, stances, caprices, dialogues, etc.) en témoignent[37] ; aux « Grands Jours » de Sapho, les jugements sont rendus sous cette forme :

---

36. Comme l'écrit Sapho à Acante : « J'ai à vous avertir qu'en matière d'amitié, je prends les choses au pied de la lettre, et que ce n'est qu'en galanterie que je souffre l'exagération. » (CS, p. 61)

37. Voir les « Annexes » de l'édition citée des *Chroniques du Samedi*, p. 285-329.

Quand cette fille sans pareille,
Sapho notre grande merveille,
La mère des tendres discours,
Au jardin tenait ses grands jours,
[...]
Chacun y parlait de tendresse,
Lettre, billet, ou compliment,
Tout finissait par *tendrement,*
De travers ou de bonne grâce
Tendre trouvait par tout sa place[38] [...]

Et le critère de réussite littéraire en est explicite, le *Tendre* enchérissant sur l'héritage galant :

63

Les vers que vous m'avez donnés
Sont si galants, si bien tournés,
Qu'ils sont tous faits, je vous le jure,
Comme s'ils étaient de Voiture.
Encore ne sais-je pas bien
Si je ne leur dérobe rien :
Car si je les sais bien entendre,
Ils ont quelque chose de tendre
Que ceux de Voiture n'ont pas,
Qui leur donne certains appas.

(« Sapho à Thrasile », CS, p. 135)

Plusieurs contemporains de Madeleine de Scudéry s'accordèrent à identifier dans sa manière d'écrire cette qualité « tendre » du style, raillée comme « languissante » par ses détracteurs[39]. Repérable en de nombreux postes d'analyse — liaison des phrases et des propositions (le « doux-coulant » naguère vanté

---

38. La pièce est de Pellisson ; ici dans le *Recueil La Suze-Pellisson*, Lyon, Antoine Boudet, 1695, t. I, p. 173.

39. « Pour moi quand je vois écrire d'une manière si tendre, je dis qu'elle ne peut pas manquer de persuader l'esprit ; puis qu'elle sait si bien toucher le cœur. » (Marguerite Buffet, *Nouvelles observations sur la langue française, où il est traité des termes anciens et inusités, et du bel usage des mots nouveaux. Avec les éloges des illustres savantes, tant anciennes que modernes*, Paris, Jean Cusson, 1668, p. 246-247) Un siècle plus tard encore, la *Bibliothèque universelle des romans* qualifie *Le grand Cyrus* d'« Ouvrage écrit du style le plus mielleux, le plus tendre, le plus *amoureux*. » (livraison de novembre 1775, p. 87)

chez un Des Essarts traduisant les *Amadis de Gaule*), simplicité lexicale rehaussée par les figures du dialogue et de la fiction[40], fluidité métrique imposant ses cadres clairs à la syntaxe —, celle-ci se déploie en tous les « genres d'écrire » auxquels s'essayèrent les amis de Sapho.

Chansons et élégies s'avéraient tout particulièrement propices à l'expression de cette poétique du *Tendre*, confiée à des voix féminines. Madeleine de Scudéry elle-même s'y illustra[41], et surtout la comtesse de La Suze, louée dès 1658 par la romancière. La première édition du *Recueil La Suze-Pellisson* leur fera une large place, mais sans chercher à les distinguer des autres pièces galantes. Pourtant, le « je ne sais quoi de doux, de languissant, et de passionné[42] » qui constitue le propre caractère de l'élégie française selon les (rares) théoriciens du xviie siècle[43] aurait pu servir à en identifier plus précisément la veine. André Renaud la définit ainsi, à la fin du siècle :

> Pour l'Élégie elle ne doit jamais s'exprimer que par le Langage du cœur, autrement il est ridicule qu'elle pleure par art, qu'elle ne parle que de soupirs ardents, lorsque le cœur est tout glacé ; elle doit être remplie de tendres sentiments ; les passions y doivent être touchées d'une manière tout à fait délicate, surtout la Passion qu'on appelle par excellence passion et la belle passion. Pour cela l'Amour qui se fait le

40. Qui animent les « cycles » poétiques (de la Fauvette, de la Pigeonne, des Poires et de l'Oranger, etc.) ainsi que les dialogues allégoriques de Pellisson ou Isarn : voir Élisa Biancardi, « Madeleine de Scudéry et son cercle : spécificité socioculturelle et créativité littéraire », *Papers on French Seventeenth Century Literature*, vol. XXII, no 43, 1995, p. 415-429.

41. Voir Renate Kroll, « *Femme poète* » *im Grand Siècle. Zur Lyrik der Madeleine de Scudéry im Kontext der « poésie précieuse »*, Tübingen, Niemayer, 1996, et pour la chanson, Anne-Madeleine Goulet, « Les divertissements musicaux du Samedi », dans *Madeleine de Scudéry : une femme de lettres au XVIIe siècle*, p. 203-216.

42. C'est en ces termes que Madeleine de Scudéry compose en 1658 le portrait de Mme de La Suze, dans la quatrième partie de *Clélie*. Voir Madeleine de Scudéry, « *De l'air galant » et autres Conversations (1653-1684). Pour une étude de l'archive galante*, Delphine Denis (éd.), Paris, Éditions Honoré Champion, coll. « Sources classiques », no 5, 1998, p. 241.

43. Pour une étude du genre au siècle précédent, voir Christine M. Scollen, *The Birth of the Elegy in France : 1500-1550*, Genève, Slatkine, coll. « Travaux d'humanisme et Renaissance », 1967. On se reportera aisément, du côté des poètes et théoriciens de la même période, à l'édition procurée par Francis Goyet des *Traités de poétique et de rhétorique de la Renaissance*, Paris, Libraire Générale Française, coll. « Le livre de poche classique », 1990. On ne saurait trop regretter ici l'absence d'une pareille synthèse sur l'élégie — et d'abord, de travaux monographiques — pour le xviie siècle français.

plus sentir dans l'Élégie, ne doit rien avoir d'aveugle, de brutal, de déréglé, ce doit être un amour fidèle, constant et honnête, comme celui que l'on a pour une personne de grande vertu et de grand mérite sans aucune relation à la brutalité et aux plaisirs des Sens[44].

Douceur et tendresse du style se verront plus tard détachées de cet ancrage éthique ; à peine l'insistance sur le « sentiment » en conserve-t-elle une trace ténue :

> À l'égard du style, il doit être doux, naturel, touchant et sentimenté. Mais ceci pour être développé demanderait un trop long détail ; car il y a une différence bien fine et bien déliée entre la douceur, le naturel, la tendresse du style qu'exige l'Élégie, et les mêmes qualités de celui qui convient aux pièces d'un autre genre[45].

✶
✶ ✶

De formation précaire, l'univers de *Tendre* se présente pourtant, au terme de cette brève promenade, comme un essai de médiations aux propositions moins stériles qu'il n'y paraît. Dans l'ordre d'une politique des comportements privés, il aura contribué à séparer de plus en plus nettement ces deux modalités du lien interpersonnel que sont l'amour et l'amitié[46], tout en ménageant, à l'inter-section de l'un et l'autre, un lieu réservé à l'intimité des cœurs, domaine du sensible qu'on n'appelle pas encore *affectivité*. On a vu, de la même manière, qu'il n'entendait pas faire sécession d'avec le plus vaste Royaume de Galanterie, aux frontières indécises et mobiles : mais les signes de la sociabilité galante, tout à la fois suspects dans leur interprétation et légitimes dans leur expression

---

44. André Renaud, *Manière de parler la langue française selon ses différents styles ; avec la critique de nos plus célèbres écrivains, En prose et en vers ; et un petit traité de l'orthographe et de la prononciation française*, Lyon, Claude Rey, 1697, p. 308-309. Mais l'auteur exprime aussitôt d'importantes réserves à l'égard de la comtesse de La Suze, dont les indéniables talents élégiaques auraient été mieux inspirés au service de l'amour de Dieu…

45. Michel Mourgues, *Traité de la poësie françoise : nouvelle édition revue, corrigée et augmentée avec plusieurs observations sur chaque espèce de poésie*, Paris, Jacques Vincent, 1724 [1685], p. 272.

46. La composition, dans la même décennie, du dialogue allégorique de Charles Perrault, *Dialogue de l'amour et de l'amitié*, Paris, Estienne Loyson, 1660, prend acte de cette confrontation désormais conventionnelle.

ritualisée, ne sauraient se confondre, en dépit des apparences, avec les manifestations du *Tendre* ; ces dernières invitent en réalité à une complète resémantisation des premiers, à leur pleine réévaluation. Code certes partagé, mais qui ne suscite pas une adhésion de semblable nature. Paradoxalement, si le modèle sentimental du *Tendre* semble élaboré pour le secret du for intérieur, il ne saurait être opératoire que publié. Les récits d'invention qui l'encadrent espéraient sans doute, tout en procédant à cette divulgation, en conjurer les effets pernicieux par un puissant dispositif de contextualisation : le processus s'en voudrait fortement contraignant, de manière à limiter les errances d'« applications » déplacées, d'interprétations sinon malveillantes, tout au moins aberrantes ; mais, actualisé en ses deux « formats » distincts (recueil manuscrit et roman), il préserve du jeu entre une stricte lecture référentielle et les possibles de la fiction narrative.

Conversations intimes de vive voix, échangées pourtant sous le regard de tous, archivage manuscrit en manière d'œuvre collective des jeux du *Tendre*, enfin publication imprimée livrée à l'ensemble des lecteurs : on aura reconnu là, dans toute leur complexe porosité, trois médiums de communication dont il convient de comprendre les logiques propres. Elles entrelacent sans les mêler événements privés et figurations publiques, témoignages personnels et récits publiables ; elles engagent autant les destinataires restreints d'une compagnie choisie qu'un lectorat tout aussi anonyme qu'imprévisible, aléatoire, dont les modes d'appropriation et d'interprétation du texte échappent par nécessité à tout contrôle.

Le royaume de *Tendre* nous convie ainsi à résister à l'opposition hâtive — quoique souvent de bonne méthode ! — entre récits de vie et création littéraire. Les *Chroniques du Samedi*, qui archivèrent la naissance du *Tendre*, se situent au confluent des deux discours, jusque dans leur hybridité matérielle. L'invention de soi, saisie au plus juste de son dess[e]in — intention de sens et figuration — articule ici la véracité du témoignage autobiographique à la vérité d'un « mensonge romanesque » assumé en conscience. Pas plus que l'un n'explique l'autre, l'œuvre ne s'y épuise en reflet, fût-il idéalisé. De quoi laisser librement s'épanouir la dynamique d'une circulation aussi réglée qu'ouverte, pour qui accepte pareil *scrupule* de lecture : c'est où, peut-être, une philologie bien entendue pourrait prendre à la lettre l'injonction à mieux aimer…

Aimer une statue : Pygmalion ou la fable de l'amour comblé

AURÉLIA GAILLARD

En clin d'œil à Barthes, je commencerai par quelques fragments du discours amoureux d'une statue adressé à son créateur, Pygmalion : c'est donc une statue qui parle et qui dit : « Tout ce que je connais de moi / C'est que je vous adore[1]. » Et c'est donc Pygmalion qui répond : « Ce jour a comblé tous mes vœux / Vous vivez, vous aimez et j'aime[2]. » Voici apparemment le comble de l'amour comblé : faire que la conscience d'aimer soit conscience d'exister, faire coïncider la réciprocité du sentiment amoureux avec le flux de la vie, fonder l'existence sur l'amour.

Je vis, j'aime : cela n'appelle pas d'objet, c'est un double cri d'existence.

Vous vivez, vous aimez : cela n'est pas différent de la proposition précédente, car « vous », c'est « moi » ; « moi », c'est « vous » : dans la fable de l'amour comblé, sujet et objet d'amour se confondent. Seul prédomine « le bonheur d'aimer et d'être[3] ».

« Moi », « Ce n'est plus moi », « Ah ! encore moi » : le discours amoureux peut paraître plat : il est minimaliste et exclamatif, « Ah ! » pourrait suffire. C'est le cri de la nature — celui que Rousseau appelle de ses vœux, c'est le premier

---

1. Antoine Houdar de La Motte, *Le triomphe des arts* [1700], dans *Pygmalions des Lumières*, anthologie présentée par Henri Coulet, Paris, Éditions Desjonquères, coll. « XVIIIᵉ siècle », 1998, p. 44.

2. Jean-François de Saint-Lambert, *Pygmalion* [1769], dans *Pygmalions des Lumières*, p. 75.

3. Jean-François de Saint-Lambert, *Pygmalion*, p. 75.

langage de l'homme, « le plus universel, le plus énergique[4] », langage comme retrouvé du cri primitif et du geste imitatif. C'est un langage d'avant la belle langue, entre cri et soupir, le langage du corps — c'est la Galathée de Rousseau qui parle ici. « Moi », lorsqu'elle se touche ; « plus moi », lorsqu'elle touche un (autre) marbre ; « encore moi », lorsqu'elle touche le statuaire[5]. Ce n'est plus seulement le sujet et l'objet du désir qui se confondent alors, selon l'image biblique d'un sujet agrandi (« c'est l'os de mes os / et la chair de ma chair[6] »), c'est la distinction même qui fonde la connaissance de soi et du monde, distinction entre un sujet animé et un objet inanimé : sauf que cette distinction, dans l'amour, amène à fondre ensemble sujet animé et sujet aimé : les objets, ce sont les autres, tous les autres, le sujet aimant et aimé, c'est le couple amoureux. Car l'amour est d'abord mouvement (é-motion), conscience qui fait sortir le sujet de sa torpeur et donc transforme l'objet qu'il était (un bois, un marbre) en un sujet sensible — et même ultrasensible, émotif, exalté, enflammé : « je vis certainement, puisque j'en suis enivrée[7] ». Galathée n'a effectivement plus rien à voir avec ces marbres épars qui traînent encore dans l'atelier de l'artiste. En un instant, l'amour l'a transformée en palpitante maîtresse.

Je pourrais continuer longtemps à déployer la syntaxe et le scénario du discours amoureux de ce couple « bizarre » d'une statue et d'un statuaire : ce que je veux soutenir, à partir de la fable, exemplaire, de Pygmalion, telle qu'elle a été notamment repensée au XVIIIe siècle[8], moment où le mythe antique se

4. Jean-Jacques Rousseau, *Discours sur l'origine et les fondements de l'inégalité parmi les hommes*, première partie, Jacques Roger (éd.), Paris, Éditions Garnier-Flammarion, 1971 [1754], p. 190.

5. Jean-Jacques Rousseau, *Pygmalion*, dans *Œuvres complètes*, Bernard Gagnebin et Marcel Raymond (éds.), Paris, Éditions Gallimard, coll. « Bibliothèque de la Pléiade », 1958 [composé pour la scène lyrique en 1762], t. II, p. 1230-1231.

6. *Genèse*, **2**, 23.

7. André-François Boureau-Deslandes, *Pygmalion ou la statue animée* [1742], dans *Pygmalions des Lumières*, p. 64.

8. Je renvoie notamment aux études décisives de Hans Sckommadau, *Pygmalion bei Franzosen und Deutschen in 18. Jahrhundert*, Wiesbaden, Franz Steiner Verlag, 1970 ; Annegret Dinter, *Der Pygmalion-Stoff in der europäischen Literatur — Rezeptiongeschichte einer Ovid-Fabel*, Heidelberg, Carl Winter Universistätsverlag, 1979 et de John L. Carr, « Pygmalion and the Philosophers. The Animated Statue in Eighteenth-Century France », *Journal of the Warburg and Courtauld Institutes*, 1960, vol. XXIII, n°s 3-4, p. 239-255, ainsi qu'à mon ouvrage, *Le corps des statues — le vivant et son simulacre à l'âge classique (de*

trouve actualisé par la question philosophique de l'animation de la matière et par toutes les reformulations issues du concept de corps-machine cartésien, c'est un paradoxe apparent : comment cet étrange scénario amoureux (aimer une statue) peut constituer non pas un hapax mais la trame, la fable, le comble de toute histoire d'amour comblé. En effet, le discours amoureux de ce couple-là (amoureux/statue) me semble rigoureusement semblable à tout autre : il ne fait que souligner et revivifier les images éculées des propos fades des histoires d'amour. Lorsque la statue « s'amollit » d'aimer et « s'anime », l'image d'un minéral en fusion, qui se liquéfie, vient rehausser le cliché ; lorsque Pygmalion « devient fou », le surgissement du surnaturel, de la statue en marche, vient créditer l'expression figée. Les « réalités » de la condition du sujet amoureux, comme l'impression de dépendance, la déification de « l'objet » aimé, son culte, le sentiment de « déréalité[9] », tout cela trouve son expression symbolique dans la fable de l'amour pour les statues, qui dépasse d'ailleurs largement le cadre de l'histoire de Pygmalion, même revisitée par le XVIIIe siècle : s'enfermer dans un tombeau ou la pièce d'une maison particulière pour se livrer à des amours marmoréennes (comme en atteste la tradition grecque[10], ou encore, pour notre corpus, cette histoire dénichée par René Démoris[11] de deux mousquetaires qui finissent par enlacer la statue de Vénus dont ils sont tombés amoureux dans le parc de Versailles[12]) peut ainsi être considéré comme une *narrativisation* des concepts de sacralisation ou de « déréalité », même si la « sacralisation » dans le cas de l'usage que le XVIIIe siècle (et notamment les philosophes matérialistes, Diderot ou Deslandes) fait du mythe de Pygmalion pose problème — j'y revien-

Descartes à Diderot), Paris, Éditions Honoré Champion, coll. « Les Dix-huitièmes siècles », 2003, surtout les chapitres 2 à 4 de la seconde partie consacrés aux Pygmalions des Lumières (p. 87-135).

9. « Déréalité : sentiment d'absence, retrait de réalité éprouvé par le sujet amoureux, face au monde. » (Roland Barthes, *Fragments d'un discours amoureux*, Paris, Éditions du Seuil, coll. « Tel quel », 1977, p. 103)

10. Voir Anne Jacquemin, « Les tentations de la chair et du marbre », *Cahiers du centre de recherche littéraires et historiques - Centre interdisciplinaire de recherches sur les civilisations et littératures du monde anglophone-afro-indianocéanique (Cahiers C.R.L.H.-C.I.R.A.O.I.)*, n° 2, « Pratiques du corps, médecine, hygiène, alimentation, sexualité », Université de La Réunion-Didier-Érudition, 1985, p. 13-21.

11. René Démoris, « Peinture et belles antiques dans la première moitié du siècle — les statues vivent aussi », *Dix-huitième siècle*, n° 27, 1995, p. 129-142.

12. L'histoire, anonyme, s'intitule « La neuvaine de Cythère », dans *L'art de plumer la plume sans crier*, Cologne, Robert Le Turc, 1710.

drai, il ne saurait bien sûr s'agir d'une « sacralisation » au sens d'un sacré divin mais plutôt d'une ritualisation qui reprendrait, comme par « citation », la structure ancienne (mythique ou biblique) de la chose sacrée et viendrait ainsi se saisir de la place d'un divin en train de se déliter dans un contexte de sécularisation. On peut penser bien sûr au concept de « divinisation à blanc » tel qu'il a été avancé par Jean Starobinski dans un article fondateur sur la fable et la mythologie aux XVIIᵉ et XVIIIᵉ siècles. Le renouveau paradoxal du recours à la mythologie antique à la fin du XVIIᵉ siècle, moment d'une critique aiguë du fabuleux (autour de la seconde *Querelle des Anciens et Modernes*), est l'objet d'un compromis (avec le sacré chrétien) et d'un déplacement : la dichotomie du sacré et du profane se trouve peu à peu redistribuée et supplantée par l'opposition raison/imagination. Le recours à la fable (et notamment à celle de Pygmalion) est donc souvent un recours limite : ainsi « la fable de Pygmalion figure, dans un langage *encore* mythique, une exigence d'expression de soi-même, dont la prochaine manifestation consistera à refuser toute médiation mythique, tout recours à une fable préexistante[13] ».

Mon hypothèse, paradoxale, j'en conviens, est donc que ce couple-là ne raconte pas une histoire d'amour parmi tant d'autres, encore moins une déviance amoureuse, mais qu'il énonce ce qu'est la nature même d'aimer. Aussi, ce que met à nu ce couple amoureux, c'est finalement l'histoire même de l'amour, de tout amour : *aimer une statue* ou ce qu'aimer veut dire.

LA RENCONTRE : LE RAVISSEMENT DÉCOMPOSÉ

Tout au début de l'histoire, avant la rencontre amoureuse, avant le ravissement, il n'y a rien : l'atelier est *chaos*, un entassement de blocs. Le monde est minéral, insensible, les femmes (les Propœtides dans l'histoire de Pygmalion[14]) sont

---

13. Jean Starobinski, « Fable et mythologie aux XVIIᵉ et XVIIIᵉ siècles dans la littérature et la réflexion théorique », dans *Dictionnaire des mythologies et des religions des sociétés traditionnelles et du monde antique*, Yves Bonnefoy (dir.), Paris, Éditions Flammarion, 1981, t. 1, p. 396 (repris dans *Le remède dans le mal. Critique et légitimation de l'artifice à l'âge des Lumières*, Paris, Éditions Gallimard, coll. « NRF essais », 1989). On peut également consulter sur le sujet désormais bien défriché : Julie Boch, *Les dieux désenchantés : la fable dans la pensée française de Huet à Voltaire*, 1680-1760, Paris, Éditions Honoré Champion, 2002, et ma thèse, *Fables, mythes, contes : l'esthétique de la fable et du fabuleux*, 1660-1724, Paris, Éditions Honoré Champion, 1996.

14. Voir Ovide, *Les métamorphoses*, trad. Georges Lafaye, Paris, Éditions Les Belles Lettres, 1989, t. II (VI-X), livre X, v. 241 et suivants.

doublement empierrées, elles ont le cœur endurci et, pour leurs fautes, sont changées en rochers, le seul homme (Pygmalion) est sculpteur : il vit de et dans la pierre et a aussi le cœur pétrifié par une anaphrodisie qui fait de lui un homme sans femme. Ce monde dirait-on est *de marbre* — ou encore, *de bois* : froid, impassible, fermé, dense, compact, tourné vers l'intérieur, impénétrable ; mais il est aussi veiné ou cerné, tacheté, ligneux, car ce monde n'est pas mort, il n'est pas encore né, ou plutôt pas encore éveillé. Le marbre (ou le bois, ou l'ivoire, ou l'albâtre qui sont les matériaux les plus cités pour les statues animées[15]) est déjà chair, il a toujours été chair, il en a l'incarnat un peu rosé, pour les chairs claires, et la veinure.

À la fois, donc, il n'y a rien et tout est déjà là, en attente, en sommeil.

Le geste — doigt et parole divine confondus — qui va éveiller ce monde, c'est celui du sculpteur et c'est, d'abord, celui d'un rapt et d'un viol. Avec son ciseau, il s'empare d'un bloc, taille le marbre, entaille la chair. Mais ce premier rapt, à peine signalé, est enfoui dans l'oubli dès que la statue est achevée : presque aucune version ne l'atteste (ou se contente d'un « il sculpta[16] »), la statue est toujours déjà là, parfaite icône, quand commence l'histoire. Néanmoins, le « rapt » continue : le statuaire palpe, malaxe, embrasse, serre contre

15. Le bois qui évoque plutôt l'idole archaïque (le *xoanon* des Grecs) ou les premières statues animées, celles façonnées par Dédale, en bois recouvertes de métal (voir Françoise Frontisi-Ducroux, *Dédale, mythologie de l'artisan en Grèce ancienne*, Paris, Éditions François Maspero, 1975) est encore présent dans l'imaginaire de la statue animée à la fin du XVIIᵉ et au XVIIIᵉ siècles mais seulement dans cette relation stricte à l'idole (chez Jean de La Fontaine bien sûr, dans la fable « L'homme et l'idole de bois », *Œuvres complètes*, Jean-Pierre Collinet (éd.), Paris, Éditions Gallimard, coll. « Bibliothèque de la Pléiade », 1991, t. I, livre IV, fable VIII, p. 151, ou chez Bernard Le Bovier de Fontenelle, dans une églogue, *La statue de l'amour*, VIIᵉ églogue, dans *Œuvres complètes*, Alain Niderst (éd.), Paris, Éditions Fayard, coll. « Corpus », 1991, t. 2, p. 361). Sinon, la plupart des Vénus ou Galathée qui apparaissent dans les reprises de l'histoire de Pygmalion à la même période sont en marbre (chez Deslandes ou chez Rousseau) ou encore en albâtre (dans *Le nouveau Pygmalion* de Jean Auguste Jullien dit Desboulmiers, en 1766, dans *Pygmalions des Lumières*, p. 95). Le célèbre groupe représentant Pygmalion et sa statue, « réel », celui-là, sculpté par Falconet, exposé au Salon de 1763 et commenté par Diderot est bien sûr en marbre (fig. 1-3). On peut toujours l'admirer au Musée du Louvre.

16. Ovide : « il sculpta dans l'ivoire à la blancheur de neige un corps auquel il donna une beauté qu'aucune femme ne peut tenir de la nature. » (Ovide, *Les métamorphoses*, t. II, livre X, v. 247-249)

lui la statue inanimée. C'est une forme adoucie de viol, le coup de maillet s'est fait caresse, mais la statue est toujours inerte, non consentante puisque non consciente. Le geste est devenu ambigu : entre celui du sculpteur et celui de l'amoureux (qui palpe ou qui caresse ?). Car tout amoureux est aussi sculpteur : la main qui « manie » le corps[17] est celle de l'artiste ; aimer c'est manipuler un corps pour en faire *comme* une œuvre d'art. Le rapt, au départ de toute histoire d'amour, est appelé « ravissement » (*enamoration*), c'est que l'amoureux est fondamentalement hypocrite (ou perdu, faible d'esprit) : il prend la pose de l'idolâtre pour mieux dissimuler son iconoclastie. Le sculpteur est idolâtre (et fétichiste[18]) parce qu'il aime *l'objet* et contribue à faire de cet objet aimé, l'objet de tous les objets (un chef-d'œuvre) : il couvre la statue de baisers mais aussi de vêtements, de présents, « passe à ses doigts des bagues de pierres précieuses, à son cou de longs colliers[19] ». Puis, il lui fait faire « un beau lit où il couchoit avecque elle[20] ». Mais l'autre face, corollaire, de l'amour de l'objet, c'est le désir de briser l'objet, le rêve de pulvérisation. A l'ouverture du *Rêve de d'Alembert*, Diderot — pour les besoins d'une démonstration contestable, plus ludique que convaincante[21] — s'exalte à l'idée de pulvériser le chef-d'œuvre de Falconet (le groupe de Pygmalion, justement) : « Je prends la statue que vous voyez, je la mets dans un mortier, et à grands coups de pilon…[22] »

Soudain, le statuaire n'ose plus frapper, il est « arrêté » : « Il prend son maillet et son ciseau, puis s'avançant lentement, il monte, en hésitant, les gradins de la statue qu'il semble n'oser toucher. Enfin, le ciseau déjà levé, il s'arrête[23]. » Il est arrêté, mais on peut penser que, simultanément, il jouit de la tentation, *il ne tiendrait qu'à lui…*

---

17. « Il recommence aussi-tost à la baiser, il luy touche aussi-tost le sein, et sentit que l'yvoire s'amollissoit ; que sa dureté cedoit à ses doigts comme feroit de la cire que le Soleil amollit, et que la main qui la manie, trouve capable de toutes formes. » (Pierre Du Ryer, *Les métamorphoses d'Ovide*, Paris, Antoine de Sommaville, 1660, p. 440)

18. J'y reviendrai.

19. Ovide, *Les métamorphoses*, t. II, livre X, v. 263-264.

20. Pierre Du Ryer, *Les métamorphoses d'Ovide*, p. 439.

21. Il s'agit de démontrer la sensibilité de la matière par la transformation d'une statue en « chair », transformation obtenue par l'ingestion de cultures ayant poussé dans l'humus où a été pulvérisée la statue.

22. Denis Diderot, *Le rêve de d'Alembert* [1769], dans *Œuvres philosophiques*, Paul Vernière (éd.), Paris, Éditions Bordas, coll. « Classiques Garnier », 1990, p. 263.

23. Jean-Jacques Rousseau, *Pygmalion*, p. 1231.

Fig. 1. Étienne-Maurice Falconet, *Le groupe de Pygmalion*, 1763, Paris, Musée du Louvre (cliché Aurélia Gaillard).

Le «coup de foudre» amoureux, dans l'histoire de Pygmalion, n'est pas simultané : d'une part, le statuaire lui-même doit fabriquer son propre objet d'amour, d'autre part, la réciprocité du sentiment n'est pas une donnée mais une conquête. On peut dire que le moment de la rencontre est décomposé : comme si cette densité fulgurante du saisissement amoureux était ralentie à l'extrême et que se dévoilaient ainsi tous les états intermédiaires et très progressifs de «l'enamoration». Le statuaire est «vide», homme sans femme, homme du chaos, il crée un objet d'amour fait pour tomber amoureux, en tombe amoureux (le moment où le maillet est «arrêté»), est malheureux, éploré («Fatal amour! cruel vainqueur[24]!») jusqu'à ce que le dispositif en miroir se mette en place : jusqu'à ce que la statue «vide» (pétrifiée, inconsciente, insensible) devienne sujet et sujet amoureux dans un même temps (être et aimer, c'est la même chose). «Elle vit celui qui l'aimait[25]» : elle voit pour la première fois (par le regard et par la conscience, pour le XVIIIe siècle, ce premier «regard» est un «toucher» qui seul peut constituer la première étape véritable de la connaissance[26]) et aime celui qu'elle voit. Il n'y a pas tant réciprocité que chiasme (elle voit ce qu'elle aime et aime ce qu'elle voit), c'est-à-dire que la jouissance d'aimer est inséparable de la jouissance de l'aliénation, de l'enfermement : le monde était un néant, ce néant désormais est surabondant, le vide s'est fait plein — à l'excès, mais plein d'un seul être, agrandi démesurément.

Ainsi, cette fameuse reconstitution d'une scène inaugurale de «coup de foudre» qui sert le plus souvent de fondement à toute histoire d'amour[27] n'est pas ici donnée justement *après-coup* mais dans le présent de la rencontre : grossissement et ralentissement permettent alors de décomposer la scène.

24. Antoine Houdar de La Motte, *Le triomphe des arts*, p. 39.

25. Ovide, *Les métamorphoses*, t. II, livre X, v. 294.

26. Voir notamment Étienne Bonnot de Condillac dans le *Traité des sensations* qui réserve au toucher la place décisive dans l'acquisition des connaissances et la conscience de soi, et ceci à partir même de la fiction d'une statue, simulacre humain qui s'anime progressivement : Étienne Bonnot de Condillac, *Traité des sensations*, Paris, Éditions Fayard, coll. «Corpus», 1984 [1754].

27. «Il y a un leurre du temps amoureux [...], la scène initiale au cours de laquelle j'ai été ravi, je ne fais que la reconstituer : c'est un *après-coup*. Je reconstruis une image traumatique, que je vis au présent, mais que je conjugue (que je parle) au passé : "je le vis, je rougis, je pâlis à sa vue. Un trouble s'éleva dans mon âme éperdue" : le coup de foudre se dit toujours au passé simple : car il est à la fois passé (reconstruit) et simple (ponctuel).» (Roland Barthes, *Fragments du discours amoureux*, p. 228)

Fig. 2. Étienne-Maurice Falconet, *Le groupe de Pygmalion* (détail), 1763, Paris, Musée du Louvre (cliché Aurélia Gaillard).

Quand il reprend l'histoire de Pygmalion en 1742, le philosophe André-François Deslandes s'extasie devant un « sujet aussi bizarre et aussi philosophique[28] » : « l'un n'est point contraire à l'autre », ajoute-t-il. Et la « leçon » philosophique qu'il tire précisément de cette histoire étrange c'est aussi celle d'une décomposition du mouvement trop rapide de la nature : l'animation de la matière, qui semble se faire « d'un coup », se fait, en vérité, par d'infimes modifications très progressives. On peut facilement tirer la même leçon pour le sentiment amoureux : ce « qu'aimer » semble faire d'un coup n'est que le résultat très progressif d'infinis changements. « Ce changement ne se fait point brusquement et par sauts : il se fait par degrés, par nuances, par des mouvements insensibles. Il y a un éloignement infini d'un état à l'autre ; mais cet infini s'achève dans un temps très fini[29]. »

---

28. André-François Deslandes (dit Boureau-Deslandes), *Pygmalion ou la statue animée*, préface «À Madame la comtesse de G. », dans *Pygmalions des Lumières*, p. 49.
29. André-François Deslandes, *Pygmalion*, p. 59.

L'HISTOIRE : AIMER UNE STATUE

Aimer une statue : évidemment, rien de plus bizarre en apparence.

Idolâtre : c'est sans doute le premier qualificatif auquel on pense, entaché de tradition biblique. Et je crois que même au XVIIIe siècle et chez des auteurs aussi éloignés d'une pensée religieuse que peuvent l'être les philosophes matérialistes Deslandes ou Diderot, il persiste non pas une croyance idolâtre ni même peut-être une « arrière-pensée » religieuse, mais une structure mentale, imaginaire, de l'idole : la fable permettrait justement de mettre au jour ce qui n'est plus alors recevable depuis la grande critique du fabuleux de la Querelle des Anciens et des Modernes[30], quelque chose qui, sans être du divin ni du sacré, viendrait néanmoins en prendre la place et en remplir la fonction : je ne crois pas que la fable au XVIIIe siècle une fois « démythifiée » soit un pur ornement[31], je crois que l'idole et l'imaginaire de la statue animée qui en dérive conservent (et sans doute encore maintenant) à l'intérieur même d'une pensée critique et laïcisée ce qu'à défaut d'un terme plus approprié j'appellerai une forme de divin ou de sacré, une palpitation de l'ancienne croyance, une « structure » mythique.

Aimer une statue, c'est d'abord, donc, et encore au XVIIIe siècle, même si le sens de l'idolâtrie n'est plus la même, être *idolâtre*.

> Leurs idoles sont en or et argent
>
> Fabriquées
> à main d'homme
>
> Elles ont une bouche
> elles ne parlent pas
>
> Elles ont des yeux qui ne voient pas
> elles ont des oreilles qui n'entendent rien
>
> Elles ont un nez mais ne sentent rien

---

30. Je rappelle la décisive affirmation de Fontenelle selon laquelle les mythes grecs n'étaient qu'un « amas de Chimères, de rêveries et d'absurdités [...], l'histoire des erreurs de l'esprit humain. » (Bernard Le Bovier de Fontenelle, *De l'origine des fables*, Paris, Brunet, 1724, p. 353, repris dans les *Œuvres complètes*, t. III, p. 187 et 202)

31. Ce que j'ai essayé de montrer dans ma thèse (*Fables, mythes, contes*) et dans la plupart de mes travaux.

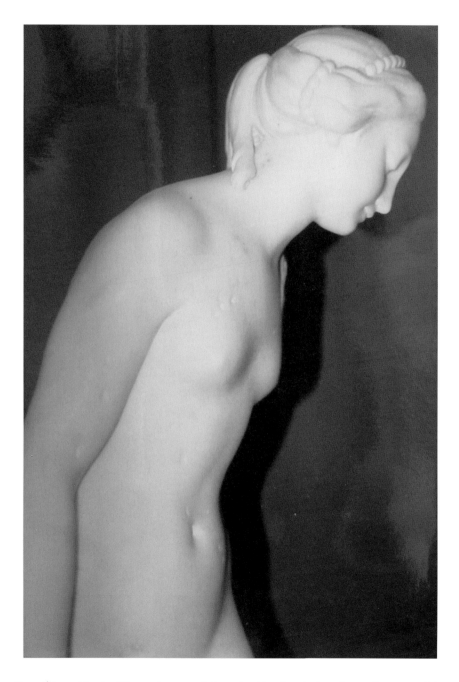

Fig. 3. Étienne-Maurice Falconet, *Le groupe de Pygmalion* (détail), 1763, Paris, Musée du Louvre (cliché Aurélia Gaillard).

Avec leurs mains elles ne touchent rien
avec leurs pieds elles ne marchent pas
Pas un son
de leur bouche[32].

En ce sens, c'est alors une aberration : mais au sens même où Jurgis Baltrušaitis use de ce mot, il s'agit non d'une erreur (aussi fascinante puisse-t-elle être), non d'une « pure » illusion, mais d'une vérité de fable[33]. Ainsi, dans la relation amoureuse, « l'objet » aimé est bien d'abord cette image parée d'or et d'argent, fabriquée de main d'homme, muette, immobile, sourde et aveugle. Il lui suffit d'être là, sa présence est réalité quand bien même elle ne serait ni sensible ni sensuelle. La statue, c'est la chose-même : une fin et une origine réunies dans un tout ; chose et « cause » réunies, selon le rapprochement, par étymologie interposée (et en chiasme une fois encore) que propose Michel Serres : « Qu'est-ce qu'une statue ? Une cause devenue chose et la cause des choses[34]. » D'où la densité et le « bouclage » de la forme, ce qu'évoque, dans le psaume, la reprise à l'initial et au final d'une même variation sur le mutisme (« Elles ont une bouche / elles ne parlent pas » ; « Pas un son / de leur bouche »). Et c'est toujours cette palpitation sacrée ou mythique (faire comme si l'artifice était présence) qu'on retrouve dans la très belle et dense formulation d'un matérialiste athée comme Diderot : « La chose, c'est la statue seule, isolée, prête à se mouvoir[35]. » La statue, ainsi, est la figure même de l'objet d'amour : à distance, autonome, indifférente. Il faut, on l'a vu, pour tomber amoureux, *forcer* l'autre (forger puis forcer, forcer et forger simultanément). Il faut donc que l'autre résiste : mais la meilleure résistance, c'est encore l'ignorance. Elle est absente parce que « concentrée » et du même coup, elle absente à lui-même

32. « Psaumes », 115, *La Bible (nouvelle traduction)*, trad. Frédéric Boyer, Jean-Pierre Prévost, Marc Sevin, Paris, Montréal, Éditions Bayard, Médiaspaul, 2001, p. 1381.

33. « "Les vérités métaphysiques sont les vérités des masques". Elles sont aussi les vérités des fables. Les illusions et les fictions qui naissent autour des formes répondent à une réalité et elles engendrent à leur tour des formes où les images et les légendes sont projetées et se matérialisent dans la vie. » (Jurgis Baltrušaitis, *Aberrations : essai sur la légende des formes, 1. Les perspectives dépravées*, Paris, Éditions Flammarion, coll. « Champs », 1995 [1983], p. 9-10)

34. Michel Serres, *L'Hermaphrodite*, dans Honoré de Balzac, *Sarrasine*, Paris, Éditions Garnier-Flammarion, 1989, p. 120.

35. Denis Diderot, *Salon de 1765*, Paris, Éditions Hermann, 1984 [1765], p. 285.

le sujet amoureux. Aussi, la statue est-elle fascinante et immensément désirable parce qu'elle maintient à la fois une présence éclatante et une absence essentielle.

C'est le dispositif du piédestal : dans l'histoire de Pygmalion, le statuaire ne se contente pas de fabriquer de ses mains la statue, mais il lui façonne aussi, souvent, un piédestal qui souligne sa beauté, sa noblesse, et surtout son autonomie (« seule, isolée »).

> Pygmalion exalté, applaudi même de ceux qui étaient le plus fâchés qu'il eût si bien réussi, travailla à un piédestal de basalte ou marbre noir, veiné de rouge, afin d'y placer sa Vénus. Il la fit aussitôt transporter dans un salon isolé, qui était au bout de son jardin […]. Ce salon était peint en vert et or, et des lits de repos, un peu éloignés les uns des autres, offraient des asiles sûrs et commodes qui aidaient à la rêverie. Une lumière douce s'y répandait par quatre fenêtres garnies de feuilles de talc, et l'on diminuait encore le jour par des rideaux faits de peaux d'Espagne, qui se tiraient avec des cordons or et vert[36].

Le piédestal n'est alors que le premier élément d'une installation qui renforce l'isolement constitutif de la statue et rappelle la structure sacrée de l'idole dressée au fond du temple, dans un saint des saints : mais cette « sacralisation » (dans le sens tout relatif que je lui ai donné plus haut) est aussi une théâtralisation — qui partiellement d'ailleurs la désacralise. L'installation ensuite se fait effectivement mise en scène, comme en témoigne notamment le jeu tout théâtral des lumières (« et l'on diminuait encore le jour… ») et le souci extrême du décor (les matériaux, les couleurs mais aussi la disposition étudiée des lits de repos « un peu éloignés les uns des autres »).

Une autre variation sur l'histoire de Pygmalion, celle proposée par Desboulmiers en 1766 dans son *Nouveau Pygmalion*[37], pousse la mise en scène à son extrême en inventant un dispositif fait de poulies et de machines, plus souvent utilisé dans les scènes libertines[38] : la statue est bien dressée, grandeur

36. André-François Deslandes, *Pygmalion*, p. 57.

37. *Le nouveau Pygmalion* [1766], *histoire véritable* de Jean Auguste Jullien dit Desboulmiers, dans *Pygmalions des Lumières*, p. 77-98), trouve la justification de son titre dans son dénouement qui met en scène une véritable statue : le héros, tendre, Vermansai s'éprend d'une jeune comtesse, Mᵐᵉ d'Orgeville, et l'idolâtre au point de dissimuler et de vénérer, dans son cabinet, une statue la représentant.

38. Voir notamment les travaux d'Henri Lafon, d'abord *Les décors et les choses dans le roman français du dix-huitième siècle de Prévost à Sade*, Oxford, The Voltaire Foundation,

nature, sur un piédestal, confiné dans un cabinet secret mais il s'agit alors d'un truquage qui, tout en conférant à la statue réunie à son socle par l'artifice un caractère d'idole sacrée, dévoile néanmoins la « machinerie ».

> Vermansai, après avoir ouvert cette porte, presse deux boutons, et au moyen de balanciers et de machines dont on entendait aisément l'effet, il sort un piédestal du plancher d'en-bas, et il descend en même temps de celui d'en-haut une statue d'albâtre, ornée de festons et de guirlandes de roses[39].

La référence théâtrale est ici tout à fait explicite : la statue, qui « descend d'en-haut », est bien un *deus ex machina* et là encore la « sacralisation » est interrogée — soulignée, renforcée mais aussi mise à distance ironique — par la théâtralisation.

80 *Idolâtre* et (presque) lucide : de la même façon, le sujet amoureux est la dupe, sans l'être, de son idolâtrie : il occupe successivement, et même parfois simultanément, tous les rôles, passif et actif, celui du spectateur transi et celui de metteur en scène ; aimer, c'est ainsi façonner sa propre idole et oublier (ou suspendre un temps sa mémoire) qu'on l'a soi-même façonnée.

Chez Rousseau, même disposition avec d'infimes variations : le piédestal est « petit » mais « exhaussé par un gradin de marbre, formé de quelques marches demi-circulaires[40] » ; quant au caractère sacré, il est évoqué et aussi souligné, affiché (à la différence de chez Deslandes, bien sûr, mais on connaît la différence des positions religieuses de l'un et l'autre[41]) non par un isolement mais par un voile qui recouvre entièrement la statue : « Je ne sais quelle émotion j'éprouve en touchant ce voile ; une frayeur me saisit ; je crois toucher au sanctuaire de quelque Divinité…[42] »

coll. « Studies on Voltaire and the Eighteenth Century », 1992, mais aussi son étude « Machines à plaisir dans le roman français du XVIIIe siècle », *Revue des sciences humaines*, « La machine dans l'imaginaire (1650-1800) », Lille-3, nos 186-187, 1982-3, p. 111-121.

39. Desboulmiers, *Le nouveau Pygmalion*, p. 95.

40. Jean-Jacques Rousseau, *Pygmalion*, p. 104.

41. Je renvoie pour Rousseau notamment à la célèbre réfutation du matérialisme (« les premières causes du mouvement ne sont point dans la matière… ») et à son corollaire, l'affirmation d'une puissance divine (« Cet être qui veut et qui peut, cet être actif par lui-même, cet être, enfin, quel qu'il soit, qui meut l'univers et ordonne toutes choses, je l'appelle Dieu »), qu'on trouve au cœur du livre IV de l'*Émile* (*Profession de foi du vicaire savoyard*, Paris, Éditions Garnier Flammarion, 1996 [1762], p. 62 et p. 68).

42. Jean-Jacques Rousseau, *Pygmalion*, p. 104.

Mais l'autre versant de l'idolâtrie, c'est aussi l'iconoclastie et le sacrilège : aimer, c'est aussi profaner. Idolâtrer (l'amoureux est un prosélyte, tout juste converti à la nouvelle religion de l'amour) pour mieux profaner. La statue est toujours *dressée* : elle porte la mémoire des primitives pierres levées, elle inverse les rôles amoureux aussi. C'est elle qui est érigée, le statuaire, lui, se « prosterne[43] ». On le sait, la fascination est castration (le *fascinus* à la fois tendu et arraché de soi), aimer une statue, ce serait bien alors le comble de l'amour, un sommet qui est aussi un trop-plein, un point de bascule qui programme son possible retournement, bref, le moment *aberrant* où le désir exacerbé est comme maintenu hors désir.

Mais cette « aberration » est-elle perversion ? Aimer une statue, est-ce une déviance ?

D'abord : concernant l'amour pour les statues ou les simulacres, le récit des grandes « déviances » (fétichisme, masochisme, nécrophilie) se fera plutôt à partir du XIXᵉ siècle : je pense bien entendu à Wanda, femme et statue, « Vénus à la fourrure » qui suscite fétichisme et masochisme[44], à l'amour obsessionnel d'un Hanold pour un bas-relief de pierre représentant un pied dans l'élan de la marche dans le récit de Jensen, *Gradiva*, et au commentaire minutieux qu'en fait Freud[45], ou à la passion de Romuald pour Clarimonde morte dans la *Morte amoureuse* de Gautier[46] — mais les exemples notamment autour du conte fantastique encore chez Gautier comme chez Hoffmann, Villiers de l'Isle-Adam,

43. Jean-Jacques Rousseau, *Pygmalion*, p. 104.

44. « Souvent, aussi, la nuit, je rends visite à ma bien-aimée froide et cruelle, et je reste à ses genoux, le visage pressé contre la pierre glacée où sont posés ses pieds, et je l'adore. » (Léopold Von Sacher-Masoch, *La Vénus à la fourrure*, trad. Aude Willm, Paris, Éditions mille et une nuits, 1999 [1870], p. 24)

45. Sigmund Freud, *Le délire et les rêves dans la Gradiva de W. Jensen*, précédé de *Gradiva* de Wilhelm Jensen, trad. Paule Arhex et Rose-Marie Zeitlin, Paris, Éditions Gallimard, coll. « Folio/Essais », 1986 [1907].

46. « Elle avait pour tout vêtement le suaire de lin qui la recouvrait sur son lit de parade, dont elle retenait les plis sur sa poitrine, comme honteuse d'être si peu vêtue, mais sa petite main n'y suffisait plus ; elle était si blanche, que la couleur de la draperie se confondait avec celle des chairs sous le pâle rayon de la lampe. Enveloppée de ce fin tissu qui trahissait tous les contours de son corps, *elle ressemblait à une statue de marbre de baigneuse antique plutôt qu'à une femme douée de vie.* » Ce qu'aime ainsi Romuald en Clarimonde morte, ou mort-vivante, ce n'est pas son improbable « résurrection », ce n'est pas la *vivante*, mais la statue (Théophile Gautier, *La morte amoureuse*, Paris, Éditions Gallimard, coll. « Folio », 1981 [1836], p. 102. Je souligne).

Blackwood, etc. peuvent être aisément multipliés. Pour le XVIIIe siècle, la « déviance » reste souvent implicite, voilée ou « gazée » par le langage : mais l'on sait bien que le voile dénude plus qu'il n'habille, rehausse et souligne la nudité. L'*Encyclopédie* de Diderot et d'Alembert évoque ainsi ces perversions sous l'appellatif gazé de « faiblesses humaines » : le rédacteur de l'article « Statues des Grecs et des Romains », le chevalier de Jaucourt, cite une longue suite d'auteurs (Élien, Pline, Valère Maxime, Athénée, Plutarque, Clément d'Alexandrie) dont les récits sont « remplis d'exemples de ces faiblesses humaines pour les statues de Vénus qu'on voyait à Cnide et dans l'île de Chypre[47] ». Le discours du XVIIIe siècle est bien sûr moral et ici même « moralisateur » (il s'agit d'illustrer les passions de l'âme et ici les passions violentes, néfastes) : le seul exemple développé par Jaucourt (le rédacteur de l'article), celui, emprunté à Élien, d'un jeune Athénien qui n'arrive pas à acheter une statue de la Bonne-Fortune dont il est tombé amoureux et qui finit par se tuer, est alors au rebours de la tradition antique où l'aventure amoureuse avec les statues semblait plutôt heureuse[48].

C'est surtout, après 1760, dans les développements plus libres, à partir du mythe de Pygmalion, dans ces « nouveaux Pygmalion », selon les titres de Desboulmiers (1766) ou de Rétif de la Bretonne[49] (1780), que les implications et prolongements pervers de l'amour pour une femme-statue (ou statue-femme) sont développés.

Fétichisme, bien sûr : parce qu'il s'agit de l'amour de l'objet, ou même d'une partie de l'objet : l'amour pour la statue est alors une forme de fétichisme : le désir porte sur un fragment, une partie, un objet. Dans un récit de 1775 de Baculard d'Arnaud, *Liebman — histoire allemande*[50], qui combine le

47. Denis Diderot et Jean Le Rond d'Alembert, *Encyclopédie ou dictionnaire raisonné des sciences, des arts et des métiers*, nouv. imp., fac-simile de la 1re édition, 1751-1780, Stuttgart-Bad Cannstatt, Friedrich Frommann Verlag, 1967, 35 tomes.

48. Voir Anne Jacquemin, « Les tentations de la chair et du marbre », p 13-21. Voir également l'analyse par Michel Foucault d'un texte du Pseudo-Lucien (*Les amours*, 16) qui raconte l'histoire d'un jeune homme épris, à Cnide, de la statue d'Aphrodite de Praxitèle avec laquelle il réussit à avoir une relation sexuelle mais en la prenant « en garçon » (Michel Foucault, *Histoire de la sexualité, 3. Le souci de soi*, Paris, Éditions Gallimard, coll. « Bibliothèque des histoires », 1984, p. 243-261).

49. Nicolas-Edme Rétif de la Bretonne, *Le nouveau Pygmalion* [1780], dans *Pygmalions des Lumières*, p. 173-207.

50. Baculard d'Arnaud, *Liebman — histoire allemande* [1775], dans *Pygmalions des Lumières*, p. 117-171.

motif de « l'enfant de la nature[51] » et l'histoire de Pygmalion, en mettant en scène un homme qui élève une petite fille (de sa naissance à l'âge adulte) pour en faire sa femme, différentes pulsions sont suggérées : fétichisme mais aussi nécrophilie et inceste. De fait, la fragmentation du corps de la jeune Amélie (« l'enfant de la nature ») frôle souvent le fétichisme : l'adoration porte sur des parties successives du corps (mains, pieds, genoux, visage) et le récit en donne souvent une vision parcellaire : « Je garde le silence sur mon projet, et me contente de me jeter à ses pieds, en couvrant sa main de baisers et de larmes délicieuses[52]. »

Nécrophilie aussi : aimer une statue, c'est aussi aimer, non pas le cadavre décomposé et la chair pourrissante mais la blanche et froide morte, sculpturale, diaphane. Toujours dans *Liebman*, le récit s'ouvre et se ferme sur une scène funèbre : « Un homme penché sur ce monument funèbre, de temps en temps l'embrassait avec plus de transport, et en poussant de ces gémissements sombres [...][53] ». A défaut du corps de la morte, c'est la pierre tombale, métonymie de la femme-statue, qui est enlacée : la pulsion nécrophile tend aussi à abolir les limites entre le vivant et le mort, à déplacer et rendre perméable la frontière du vivant : « Lorsque j'embrasse ce tombeau qui contient sa cendre, je crois éprouver un tressaillement ; la sensibilité serait-elle entièrement éteinte chez les morts[54] ? »

Cette fascination pour les cercueils et les mortes amoureuses, qui va, bien entendu, se déployer à la fin du XVIIIe siècle et au tournant du siècle suivant, dans le genre sombre et la nouvelle tragique remise au goût du jour, en Angleterre d'abord, puis en France, rencontre alors avec le motif de la femme-statue façonnée par un maître (souvent père aussi ou tuteur, comme chez Baculard d'Arnaud mais surtout chez Rétif et chez Sade, dans *Eugénie de Franval*) un champ fantasmatique particulièrement propice à toutes sortes d'expérimentations : à la fin du récit sadien, le libertin Franval qui a éduqué sa fille selon ses

83

---

51. Voir Jean-Michel Racault, « Le motif de "l'enfant de la nature" dans la littérature du XVIIIe siècle ou la recréation expérimentale de l'origine », dans *Primitivisme et mythe des origines dans la France des Lumières 1680-1820*, Paris, Presses universitaires de la Sorbonne, 1989, p. 101-117, ainsi que, du même auteur, *Nulle part et ses environs — voyage aux confins de l'utopie littéraire classique (1657-1802)*, Paris, Presses universitaires de la Sorbonne, 2003.

52. Baculard d'Arnaud, *Liebman*, p. 136.

53. Baculard d'Arnaud, *Liebman*, p. 114.

54. Baculard d'Arnaud, *Liebman*, p. 168.

propres principes, dénués des « préjugés » de la société et en a fait sa maîtresse, meurt sur les corps ensevelis de ses deux victimes (son épouse et sa fille) et à la fois féconde et flétrit (sang et sperme étant assimilés) les cadavres : « Son sang impur coule sur la victime et semble la flétrir bien plus que la venger[55]. »

Inceste : la pulsion incestueuse est directement liée à la confusion des rôles : l'amoureux veut être tout, le maître, mais aussi l'esclave[56], le père, l'amant. M. De M***, le héros du *Nouveau Pygmalion* de Rétif (1780), tombe amoureux de la fillette qu'il a fait élever pour la sauver de la pauvreté tandis qu'elle avait douze ans et tous les traits d'une nouvelle Cendrillon (elle « ramassait des cendres au pied d'une borne[57] ») : rapidement, la confusion des rôles s'installe clairement explicitée par le héros lui-même : « Tu es mon ouvrage ; c'est moi qui t'ai créée, pour ainsi dire ; je t'aime en père, en frère, en amant[58]. » Chez Rétif (dont on connaît l'importance du thème incestueux dans l'œuvre) de même que chez Sade, dans *Eugénie de Franval* en 1800, l'inceste (encore partiel du protecteur pour sa pupille chez Rétif et véritable, du libertin Franval pour sa fille Eugénie, chez Sade) est décrit non comme une « déviance » du comportement amoureux mais bien comme le comble même de l'amour comblé : c'est la société qui est déviante en ne reconnaissant pas cet amour « parfait » puisque tout en conservant une distinction des sexes, il s'agit bien d'un amour du même au même. Ce sont les seules bienséances qui inquiètent M. De M*** chez Rétif : « Voilà mon embarras ! En faire ma femme, est certainement le plus noble, peut-être le plus raisonnable ; mon bonheur y est attaché. Mais ma famille ! que dirait-on dans le monde ? à la Cour[59] ? » Chez

55. Donatien Alphonse François, marquis de Sade, *Eugénie de Franval*, dans *Les crimes de l'amour*, Michel Delon (éd.), Paris, Éditions Gallimard, coll. « Folio », 1987 [1800]. Comme pour *Liebman* de Baculard d'Arnaud, si le récit ne porte pas la mention de « nouveau Pygmalion », la référence au mythe est néanmoins explicite dans le texte : « Ah ! mon ami, la folie de Pygmalion ne m'étonne plus... » (Marquis de Sade, *Eugénie de Franval* p. 315) Sans compter la scène centrale où Eugénie, nue, est « statufiée », c'est-à-dire présentée au double regard de son père et d'un autre libertin Valmont, sur un piédestal tournant. (Marquis de Sade, *Eugénie de Franval*, p. 348-349)

56. Bien qu'ayant dirigé en maître absolu l'éducation d'Amélie, Liebman s'écrie : « Liebman est ton amant, ton esclave ; tu es ma maîtresse absolue. » (Baculard d'Arnaud, *Liebman*, p. 125)

57. Rétif de La Bretonne, *Le nouveau Pygmalion*, p. 175.

58. Baculard d'Arnaud, *Liebman*, p. 184.

59. Baculard d'Arnaud, *Liebman*, p. 188.

Sade, Eugénie a dépassé son père et maître en libertinage : elle anticipe ses désirs les plus excessifs et comprend mal la nécessité de déguiser ses pulsions ressenties justement comme des « preuves d'amour » d'un corps libéré des contraintes d'une société frileuse. Dans les deux récits, l'inceste est l'idéal de l'amour.

Dès lors, les scénarios de toutes ces amours marmoréennes n'apparaissent plus que comme autant de manières d'aimer, sans doute amplifiées, intensifiées, voire radicalisées jusqu'au plus scandaleux et insoutenable mais néanmoins déjà présentes dans toute relation amoureuse.

Alors, aimer une statue, une bizarrerie perverse ? Sans doute, mais le récit de cette perversion est sans nul doute le plus banal qui soit : pas d'amour sans perversion, c'est-à-dire sans détournement du désir *normé*, pas d'amour sans comportement asocial, pas d'amour sans surenchère, sans extravagance, sans bizarrerie. Pas d'amour sans statue à aimer.

85

Aimer, s'aimer à s'y perdre ?
Les jeux spéculaires
de Cahun-Moore

ANDREA OBERHUBER

É tonnant paradoxe que celui de Claude Cahun — auteure, photographe, actrice de théâtre et essayiste — qui, après avoir été présente sur la scène culturelle de son époque, se retrouve après sa mort parmi les « oubliés » de l'historiographie littéraire et artistique[1]. Il a fallu attendre les années 1980, le renouveau de l'intérêt pour le surréalisme, notamment pour le rôle des femmes dans les avant-gardes de l'entre-deux-guerres, attendre surtout les débats autour du *gender* pour voir ressusciter Claude Cahun, née Lucy Schwob en 1894, fille de l'éditeur Maurice Schwob et nièce du poète symboliste Marcel Schwob. Ce n'est toutefois pas un hasard si Cahun a été redécouverte il y a une vingtaine d'années dans le cadre des *gender studies* nord-américaines pour, instantanément, en devenir l'un des enfants chéris. Surtout pour les historiennes de l'art

1. Les raisons de sa marginalisation passée et de son succès présent sont multiples : François Leperlier, biographe et « redécouvreur » de Claude Cahun, en trouve l'explication dans son « propos de troubler les indices, de se soustraire aux identifications sommaires » et dans son jeu avec la « plus intime étrangeté » (François Leperlier, *Claude Cahun : l'écart et la métamorphose*, Paris, Jean-Michel Place, 1992, p. 13) ; Laura Cottingham explique l'oubli de Cahun par son désir lesbien (« Betrachtungen zu Claude Cahun », dans *Claude Cahun. Bilder*, catalogue d'exposition, Heike Ander et Dirk Snauwaert (dir.), Munich, Schirmer & Mosel, 1997, p. XX-XXII) et Carolyn Dean, par sa non-participation aux spectaculaires actions des surréalistes (« Claude Cahun's Double », *Yale French Studies*, n° 90, décembre 1996, p. 71-72). La conjonction de toutes ces positions dérangeantes, difficiles à classifier, a certainement contribué à reléguer cette artiste hors du commun aux oubliettes de l'histoire.

qui s'intéressent aux aspects de l'autoreprésentation et de la performance en photographie, aux rapports entre féminisme et postmodernisme[2], Cahun est une figure clé du modernisme français tel qu'il s'est manifesté entre 1900 et 1940, tantôt au sein des mouvements avant-gardistes, tantôt en leurs marges.

Si Cahun est donc sortie des tiroirs de l'oubli auquel l'histoire culturelle l'avait reléguée, il n'en est pas de même pour sa compagne de vie, la peintre et graphiste Suzanne Malherbe. C'est pourtant avec celle qui signait ses œuvres Marcel Moore (ou Moore tout court) que Cahun formait l'un de ces couples symbiotiques qui animaient le milieu intellectuel et artistique du « Paris Lesbos », ces célèbres salons de femmes installés sur la rive gauche, loin des grands salons aristocratiques et grand-bourgeois du Faubourg-Saint-Germain[3]. Qui imaginerait Gertrude Stein sans son *alter ego* Alice Toklas (immortalisée dans la célèbre *Autobiography of Alice B. Toklas*[4]), la poétesse Renée Vivien sans l'amazone par excellence, Natalie Clifford, ou encore Colette sans Missy à ses côtés, après son divorce de Willy, sur les scènes du music-hall parisien ? Dans le cas de Claude Cahun et de Marcel Moore, le double pseudonyme aurait-il joué en la défaveur de ces deux artistes pour qui le « *shifting gender* » tel qu'il se manifeste dans les écrits, les autoportraits et les photomontages devenait la traduction parfaite d'un « *shifting I*[5] » ? La destruction en 1944 d'une bonne partie de leur

2. En témoignent, à titre d'exemples, les ouvrages suivants : Renée Riese Hubert, *Magnifying Mirrors. Women, Surrealism, & Partnership*, Lincoln, University of Nebraska Press, 1994 ; Amelia Jones, *Postmodernism and the En-Gendering of Marcel Duchamp*, Cambridge, Cambridge University Press, 1994 ; Whitney Chadwick (dir.), *Mirror Images : Women, Surrealism, and Self-representation*, Cambridge, London, MIT Press, 1998 ; le catalogue d'exposition *Rrose is a Rrose is a Rrose. Gender Performance in Photography*, Jennifer Blessing (dir.), New York, Guggenheim Museum Publications, 1997 ; Rosalind Krauss, *Bachelors*, Cambridge, MIT Press, coll. « October », 1999 ; Shelley Rice, *Inverted Odysseys : Claude Cahun, Maya Deren, Cindy Sherman*, Cambridge, MIT Press, 2000 ; Jennifer Mundy, *Surrealism. Desire Unbound*, Princeton, Princeton University Press, 2001.

3. Pour ce qui concerne les différences entre les salons animés par les « Américaines » (pour la plupart autoexilées à Paris) et ceux tenus par la vieille aristocratie française ou la grande-bourgeoisie, voir Shari Benstock, *Femmes de la rive gauche : Paris 1900-1940*, trad. Jacqueline Carnaud, Paris, Éditions des femmes, coll. « Essai », 1987, p. 50-107.

4. Gertrude Stein, Alice B. Toklas, *The Autobiography of Alice B. Toklas*, New York, Literary Guild, 1933.

5. Honor Lasalle et Abigail Solomon-Godeau, « Surrealist Confession : Claude Cahun's Photomontages », *Afterimage*, vol. 19, n° 8, mars 1992, p. 10.

œuvre par des soldats national-socialistes, lors du pillage de leur résidence d'exil sur l'île de Jersey, aurait-elle été à l'origine d'une *memoria* défaillante jusqu'à tout récemment en ce qui concerne la transmission de l'œuvre littéraire et photographique de Cahun-Moore[6]? Ou serait-ce le simple fait que le discours culturel, dans sa conception de l'artiste comme individu créateur, n'admette que difficilement la création collective[7], pratiquée par Cahun et Moore en tant que couple symbiotique?

Cette réception partielle — Cahun sans Moore — paraît d'autant plus fâcheuse que le couple transgressait sans cesse les limites du soi, afin d'explorer les multiples facettes du Même et ce, jusque dans les abîmes de l'altérité. Je pose l'hypothèse qu'une grande partie de l'œuvre de Cahun est, en réalité, inconcevable sans le concours de Moore. Marqué d'incessants jeux spéculaires, leur travail de création est indissociable de leur histoire d'amour fusionnel: Cahun, la cadette, comme double de Moore, ou l'inverse[8]. Dès la première œuvre littéraire et jusqu'aux derniers autoportraits, le lecteur-spectateur est confronté à la polymorphie d'un «je» en métamorphose permanente, à une transformation qui s'effectue sous le regard bienveillant — et, probablement, contrôlant d'un point de vue esthétique — de sa compagne. Ensemble, les deux

89

6. À la suite de leur arrestation par la Gestapo, on croyait Cahun et Moore déportées et finalement mortes dans un camp de concentration. Pour les méandres de l'oubli et de la redécouverte de cette œuvre, voir plus en détail Thérèse Lichtenstein, «A Mutable Mirror: Claude Cahun», *Artforum*, vol. 30, n° 8, avril 1992, p. 65.

7. Les études dans ce domaine, plus particulièrement en ce qui concerne la collaboration entre femmes, ne sont pas légion. Citons à titre d'exemples le travail de Marie-Jo Bonnet, *Essai sur le couple de femmes dans l'art*, Paris, Éditions Blanche, 2000, et, sur les couples artistes dans les mouvements dadaïstes et surréalistes, l'ouvrage de Renée Riese Hubert, *Magnifying Mirrors. Women, Surrealism, & Partnership*.

8. Dans *Aveux non avenus*, par exemple, la figure du double, sans manquer d'ambiguïté, est associée au motif de la sœur jumelle: «tu ne pouvais exister sans ta fausse jumelle. Vous avez partie liée. Tu ne peux l'exterminer sans t'abolir» (Claude Cahun, *Aveux non avenus*, Paris, Éditions du Carrefour, 1930, p. 14), à celui de l'hermaphrodite et du siamois: «Les amants trop heureux forment un couple pareil au monstre hermaphrodite ou encore aux frères siamois (p. 33), ou encore à celui des cheveux emmêlés qu'il faut couper le lendemain matin afin de les dissocier: «Nos cheveux se sont emmêlés tant et tant cette nuit, qu'au matin — pour en finir — nous avons dû nous faire tondre.» (p. 145) Désormais les références à cet ouvrage seront indiquées par le sigle «ANA», suivi de la page et placées entre parenthèses dans le corps du texte.

artistes sondent les corrélations entre les mots et les images, le corps, le sexe et leurs représentations sociales, le sujet et l'identité, la mise en théâtre de soi et le désir lesbien, s'inscrivant ainsi dans les thèmes hautement en vogue dans les milieux de la rive gauche[9] et qui, sous l'enseigne du postmodernisme, domineront le discours sur les catégories du sexe et du *gender*[10]. Il s'agira ici de montrer l'enjeu du couple amoureux pour la création d'une œuvre protéiforme qui souscrit aux prémisses littéraires et picturales des avant-gardes de l'entre-deux-guerres tout en gardant une certaine distance, un regard oblique sur la scène artistique dominante. Que signifie « aimer » et « s'autoreprésenter » lorsque l'être aimé est notre *alter ego* ? Cette histoire d'amour entre soi et la projection de soi sous forme de textes littéraires, d'autoportraits, de photomontages et d'objets surréalistes peut-elle éviter l'abîme ? Et que signifie « aimer une femme » dans une société qui valorise le discours masculin, la double morale et le modèle hétérosexuel ?

9. Le Paris de l'entre-deux-guerres est un lieu effervescent pour toute une génération de femmes dont un grand nombre vient de l'autre côté de l'Atlantique et que l'on désignera comme « Amazones » ou « Américaines ». À propos des intellectuelles américaines et anglaises expatriées à Paris entre 1900 et 1940 (Edith Wharton, Djuna Barnes, Natalie Clifford, Janet Flanner, Sylvia Beach et Gertrude Stein, entre autres), voir Shari Benstock, *Femmes de la rive gauche : Paris 1900-1940* ; Andrea Weiss, *Paris was a Woman*, San Francisco, London, Harper Collins Publishers, 1995. Dès 1922, Claude Cahun et Marcel Moore animaient leur propre salon à Montparnasse que fréquentait l'intelligentsia de l'époque, de Georges Bataille à Sylvia Beach, de Lise Deharme à Tristan Tzara en passant par André Breton, Robert Desnos, Jacques Lacan, Henri Michaux et Jacques Viot. C'est là surtout que Cahun et Moore vivaient leur altérité et leur goût pour le travestissement, mais également à la librairie d'Adrienne Monnier où le couple côtoyait Sylvia Beach, Jane Heap, Margaret Anderson, tout comme il devait y rencontrer à l'occasion Aragon, Benjamin, Claudel, Jacob et Soupault. Soulignons que, à l'extérieur de ces lieux « protégés », la tolérance à l'égard des couples lesbiens était plutôt restreinte. N'y faisait pas exception le cercle des surréalistes homophobes — autour de Breton et d'Aragon — qui voyaient d'un mauvais œil l'apparition du couple extravagant Cahun-Moore au Cyrano, haut lieu du mouvement surréaliste durant les années parisiennes. Pour le cercle amical du couple et ses échanges littéraires et artistiques, voir François Leperlier, *Claude Cahun : l'écart et la métamorphose*, Paris, Éditions Jean-Michel Place, 1992, p. 105.

10. Est-il nécessaire de rappeler le rôle de précurseur qu'a joué Marcel Duchamp alias Rrose Sélavy dans la remise en question de la construction sociale des rôles sexués, des attributs « féminin »/« masculin », de la mascarade comme stratégie subversive et de

« L'ACTE MÊME EST ŒUVRE DE CHAIR[11] » :
AMOUR ET DÉSIR LESBIEN DANS L'ENTRE-DEUX-GUERRES

Après le bimorphisme caractéristique de la différence sexuelle du XIXe siècle, l'apparence féminine évolue, à partir du tournant du siècle, vers une silhouette de plus en plus androgyne à la Belle Époque. La peur de la virilisation des femmes est une hantise que les psychiatres partageront avec une grande partie de la société, dont également les féministes « réformistes ». Rares sont cependant les femmes dans la vie de tous les jours, contrairement au riche imaginaire fantasmatique des peintres et des écrivains, qui osent afficher ouvertement, à l'encontre de leur sexe féminin, une image « masculine ». Madeleine Pelletier, femme médecin et figure de proue du féminisme combattant de l'époque, est l'exception la plus flagrante[12] ; pour elle, la virilisation, en passant par le costume et le chapeau masculin, est le gage de l'émancipation de la femme. Les autres femmes « libérées » — un petit pourcentage de la population seulement, issu notamment des milieux bourgeois — évoluent vers l'allure androgyne de la garçonne, mythe des années folles[13]. Mais l'époque n'est pas à un paradoxe près. Les divers mouvements féministes demeurent longtemps encore prisonniers d'une « idéologie qui façonne des images de femmes acceptables, reconnues socialement par leur lien à l'Autre masculin, le mari et ses enfants[14] ». D'un autre côté, dès 1912, l'archétype de l'amazone[15] investit l'imaginaire social de la

l'artiste comme « mère »/« père » d'une œuvre d'art ? Voir plus en détail le chapitre « The Ambivalence of Rrose Sélavy and the (Male) Artist as "Only the Mother of the Work" » que consacre à cette problématique Amelia Jones, *Postmodernism and the En-Gendering of Marcel Duchamp*, p. 146-190.

11. ANA, p. 118.

12. L'historienne Christine Bard a dirigé un ouvrage collectif consacré à l'une des féministes les plus radicales de l'entre-deux-guerres : Christine Bard (dir.), *Madeleine Pelletier (1874-1939). Logique et infortunes d'un combat pour l'égalité, actes du colloque de Paris (5-6 décembre 1991)*, Paris, Éditions Côté-femmes, coll. « Des femmes dans l'histoire », 1992.

13. Voir l'étude de cette figure mythique, richement illustrée d'un point de vue iconographique, par Christine Bard, *Les garçonnes : modes et fantasmes des années folles*, Paris, Éditions Flammarion, coll. « Génération », 1998.

14. Marie-Jo Bonnet, *Les relations amoureuses entre les femmes : XVIe-XXe siècle*, Paris, Éditions Odile Jacob, 2001 [1995], p. 325.

15. Modigliani est l'un des premiers à avoir immortalisé une *Amazone* en 1909. Chana Orloff, en 1916, donna le même titre à une sculpture montrant une *Amazone* sur son cheval.

«femme» en la personne de Natalie Clifford, auteure de *Pensées d'une amazone*[16] et animatrice de l'un des plus célèbres salons parisiens. C'est le caractère iconoclaste et contestataire de ce nouveau modèle féminin qui va à l'encontre des représentations attendues.

À l'image de la *New woman* engendrée par la Première Guerre mondiale, ces «amazones» rejoindront naturellement les courants avant-gardistes porteurs de toutes les idées neuves, notamment en littérature et dans les arts. Si elles sont nombreuses à participer aux mouvements d'avant-garde, c'est qu'elles y trouvent le moyen d'expression d'un nouveau regard sur le monde, d'un nouveau mode de vie débarrassé de certaines contraintes sociales. Il suffit de penser aux travaux de la cinéaste Germaine Dulac, de la danseuse Loïe Fuller, de la peintre Valentine Penrose, de la chanteuse Suzy Solidor, des auteures et journalistes Georgette Leblanc, Margaret Anderson et Jane Heap pour mesurer l'apport des femmes dans les avant-gardes de l'entre-deux-guerres, cette part que Lea Vergine qualifie d'«autre moitié de l'avant-garde» et Jennifer E. Milligan, de «*forgotten generation*[17]». Durant cette période fertile en échange interartistique et favorable à l'expérience pluridisciplinaire, les artistes, peintres et écrivaines affrontent le tabou de la représentation de l'érotisme lesbien. En témoignent les œuvres de Chana Orloff, de Romaine Brooks, de Marie Laurencin et, bien sûr, du couple Cahun-Moore. C'est en 1925, lors de l'Exposition internationale des arts décoratifs et industriels modernes, que le saphisme nouveau style affiche publiquement ses couleurs : les visiteurs du Pavillon du livre sont accueillis par une statue de Bourdelle représentant la poétesse Sapho avec sa lyre comme symbole de la femme créatrice[18].

16. Natalie Clifford Barney, *Pensées d'une amazone*, Paris, Émile-Paul frères, 1920.

17. Lea Vergine, *L'autre moitié de l'avant-garde 1910-1940 : femmes peintres et femmes sculpteurs dans les mouvements d'avant-garde historiques*, trad. Mireille Zanuttini, Paris, Éditions Des femmes, 1982 [1980]; Jennifer E. Milligan, *The Forgotten Generation : French Women Writers of the Inter-War Period*, Oxford, New York, Berg Press, 1996.

18. Pour l'évolution du saphisme Belle Époque vers le lesbianisme de l'entre-deux-guerres, voir plus en détail Marie-Jo Bonnet, *Les relations amoureuses entre les femmes*, p. 321-334 ; on lira également avec intérêt le chapitre «Le charme de la décadence» que consacre Florence Tamagne à la corrélation entre dandy et homosexuel, entre femme fatale et lesbienne : Florence Tamagne, *Mauvais genre ? Une histoire des représentations de l'homosexualité*, Paris, Éditions de La Martinière, 2001, coll. «Les reflets du savoir», p. 100-121. Le désir lesbien semble sortir du secret ; il exerce surtout une véritable fascination sur les artistes hommes, si l'on pense au leitmotiv des «Deux amies» qui revient

Si, dans cette période de l'entre-deux-guerres, un plus grand nombre de femmes s'expriment à travers l'art et l'écriture, c'est sans doute aussi parce que d'autres terrains d'action — la voie politique, notamment — leurs sont interdits dans un pays qui ne leur accorde toujours pas le droit de vote en les excluant ainsi de l'« universel » masculin. Plusieurs d'entre elles réalisent leurs œuvres dans la « sphère privée » avant de connaître, plusieurs décennies après seulement, une reconnaissance publique[19]. Vivre, écrire et créer en marge de la scène dominante, se situer dans un « dedans » plutôt que dans le « dehors », contribue forcément à développer non seulement une vision *autre* du réel, mais également une esthétique différente.

CAHUN ET MOORE, UNE RELATION ÉROTICO-ARTISTIQUE

La relation amoureuse entre Cahun et Moore et leur étroite collaboration s'inscrivent indubitablement dans le contexte de la création d'un nouvel imaginaire, au-delà des frontières normatives de l'image féminine traditionnelle. Leur amour n'est pas un secret, certes, mais il se fait plus discret que celui qui déchire par exemple Natalie Barney et Renée Vivien, plus égalitaire aussi que celui qui caractérise le couple Stein-Toklas[20]. Pour saisir les nuances de la

sans cesse chez Foujita, Pascin, Bourdelle, Chemiot ou Toulouse-Lautrec, et dont le registre va du morbide au sentimental en passant par le sensuel voyeuriste. Contrairement au désir lesbien, l'homosexualité masculine investit plutôt la littérature, d'Oscar Wilde à Marcel Proust ou André Gide.

19. Les rapports entre le centre et la périphérie sont particulièrement problématiques dans ces années de l'entre-deux-guerres. C'est ce que fait remarquer Susan Rubin Suleiman à propos de la double marginalité à laquelle sont reléguées les femmes dans les mouvements avant-gardistes : Susan Rubin Suleiman, *Subversive Intent : Gender, Politics, and the Avant-Garde*, Cambridge, Massachusetts, London, Harvard University Press, 1990, p. 11-32. La réévaluation du rôle des femmes dans le dadaïsme et le surréalisme se fait en effet seulement dans les années 1990. Voir Georgiana M. M. Colvile et Katherine Conley (dir.), *La femme s'entête : la part du féminin dans le surréalisme*, actes du Colloque de Cerisy-la-Salle (août 1997), Paris, Lachenal & Ritter, coll. « Pleine marge », 1998 ; Georgiana M. M. Colvile, *Scandaleusement d'elles : trente-quatre femmes surréalistes*, Paris, Éditions Jean-Michel Place, 1999.

20. Cahun ne thématise quasiment jamais explicitement le thème de l'homosexualité ni du désir lesbien ; il faut savoir le déchiffrer, le lire entre les lignes. Un seul texte essayistique — sa réponse à une enquête menée par la revue *L'amitié* en avril 1925, trois ans avant les célèbres entretiens des surréalistes sur l'h omosexualité publiés dans *La*

Fig. 1. Claude Cahun, *Autoportrait*, 1928, coll. Musée des Beaux-Arts, Nantes, coll. privée, Évreux.

94

complémentarité entre Cahun et Moore, il faut s'attarder sur les détails de leur autoreprésentation qui emprunte le plus souvent la voie de l'autoportrait photographique. L'emblématique « Autoportrait[21] » (fig. 1) de Claude Cahun devant un miroir, aux cheveux courts et au regard tourné vers le spectateur, qui

révolution surréaliste —, ainsi que la nouvelle restée inédite « Salmacis la suffragette » renvoient à une orientation sexuelle et un mode de vie marquant clairement la différence. Pour plus de détails, voir Andrea Oberhuber, « "Que Salmacis surtout évite Salmacis!" Claude Cahuns literarisch-fotografische Verkörperungen des Anderen », dans Dirk Naguschweski et Sabine Schrader (dir.), *Sehen, Lesen, Begehren: Homosexualität in französischer Literatur und Kultur*, Berlin, Edition Tranvía, Verlag Walter Frey, 2001, p. 67-81; Laura Cottingham, *Cherchez Claude Cahun*, Lyon, Éditions Carobella ex-natura, 2002, p. 16-29.

21. Reproduite sur la page de couverture de plusieurs ouvrages consacrés aux femmes artistes dans le surréalisme, cet autoportrait est devenu l'icône du travail photogra-

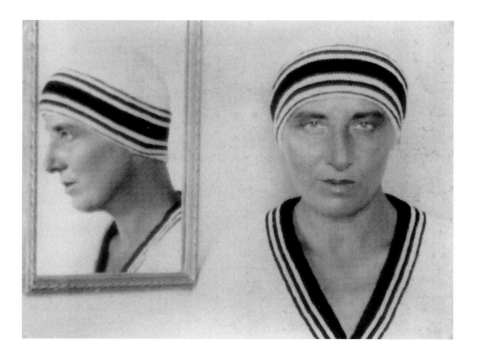

Fig. 2. Claude Cahun, *Suzanne Malherbe*, 1928, coll. privée, Paris.

la montre habillée d'une veste en motif à damier blanc et noir est, en vérité, indissociable de l'(auto)portrait « Suzanne Malherbe », réalisé par ailleurs la même année, sur lequel elle porte un pull-over et un bonnet blancs rehaussés tous deux par des rayures noires et blanches (fig. 2)[22]. Loin de vouloir se ressembler comme des jumelles siamoises, loin donc aussi du mythe de Narcisse et de sa sœur — je reviendrai sur ce point crucial de l'interprétation des autoportraits et des photomontages[23] —, le moi et son *alter ego* affichent leur différence dans

phique de Cahun. Pour toutes les images auxquelles je fais ici référence, je renvoie, pour l'excellente qualité de reproduction des photographies, au catalogue d'exposition *Claude Cahun. Bilder*. L'autoportrait en question est reproduit à la p. 29. On pourra également se renseigner sur les autoportraits et les photomontages grâce au catalogue *Claude Cahun photographe*, édité par le Musée d'art moderne de la ville de Paris, Paris, Éditions Jean-Michel Place, 1995, qui présente un plus petit nombre d'images de qualité moindre.

22. *Claude Cahun. Bilder*, p. 105.

23. C'est avec le concours de Marcel Moore que Cahun perfectionne la technique du photomontage, notamment pour réaliser les héliogravures d'*Aveux non avenus*. Plus

la complémentarité. Un second autoportrait appuiera encore mieux cette vision de deux moi distincts, indépendants, qui ne sont jamais tout à fait les mêmes ni tout à fait *autres*. Cette fois, Cahun et Moore se retrouvent réunies dans le même autoportrait intitulé « Le Croisic[24] » (fig. 3). Divisée en deux par la mise en scène du cadre devant lequel la photographie a été prise, l'image semble « consacrer » les deux femmes : elles sont debout, habillées respectivement en tailleur et en robe et « coiffées » de la même façon, s'appuyant légèrement sur l'estrade d'un balcon qui ouvre la vue sur la mer et l'horizon au large. Chacune d'elle occupe une moitié de l'image — Moore la moitié gauche, Cahun la moitié droite — comme les deux parties d'un même cerveau ou les deux chambres d'un même cœur. Cependant, notons-le tout de suite, ce type d'autoreprésentation est chose rarissime dans l'œuvre qui nous est restée. Ce qui témoigne, d'une autre façon et moins ponctuellement, de leur esprit commun, c'est le travail collectif qu'effectuent l'auteure et la graphiste-peintre pour *Aveux non avenus*[25], œuvre autobiographique, voire autofictionnelle avant la lettre, à l'intérieur de laquelle sont intercalés dix photomontages. La symbiose artistique au sein de laquelle les deux femmes donnent et reçoivent se révèle l'univers idéal leur permettant de créer des œuvres à leur image. Les photomontages-cryptogrammes, recyclage de certains autoportraits assemblés autrement, d'images diverses, de phrases isolées ou de bribes textuelles, sont réalisés entre 1929 et 1930 en étroite collaboration entre Cahun et Moore, ce qu'explique clairement le paratexte d'*Aveux non avenus* : « illustré d'héliogravures composées par Moore d'après les projets de l'auteur ». Le « Tableau I » (ANA, s.p., fig. 4) immortalise par ailleurs, en bas à droite, la signature de Moore, deuxième trace *visible* — donc incontournable — d'une démarche qui veut être perçue comme un travail bicéphale.

Que ce soit dans le cadre de l'illustration de la première œuvre littéraire de Claude Cahun, *Vues et visions*[26], des nombreuses mises en scène de soi

tard, cette même technique se retrouvera exploitée dans la collaboration entre Cahun et Lise Deharme dans son livre pour enfants *Le cœur de pic*, Paris, Éditions José Corti, 1937.

24. *Claude Cahun. Bilder*, p. 104.

25. Les œuvres littéraires de Cahun ont récemment fait l'objet d'une réédition : Claude Cahun, *Écrits*, François Leperlier (éd.), Paris, Éditions Jean-Michel Place, 2002.

26. Publiés dans un premier temps en 1914 dans le *Mercure de France*, ces poèmes en prose ont été regroupés cinq ans plus tard dans un recueil paru à Paris chez Georges Crès.

Fig. 3. Claude Cahun, Marcel Moore, *Le Croisic*, 1921, coll. privée, Paris.

devant la caméra ou des photomontages pour *Aveux non avenus*, la collaboration féminine sera *le* moyen de se soustraire au triple rôle de la muse-modèle-maîtresse auquel s'astreignirent plusieurs artistes surréalistes, du moins durant une période de leur carrière[27]. Nul doute cependant que ce moi scintillant et insaisissable des autoportraits se conçoit *aussi* comme un modèle. Mais il s'agit là d'un modèle qui, à travers de multiples visages, se construit sans cesse différemment en déconstruisant les attributs d'une féminité et d'une masculinité socialement codifiées. Le regard posé sur un autre modèle, transformé ainsi en

27. Voir à ce propos la vive critique que formule Xavière Gauthier dans sa lecture du groupe surréaliste et du traitement que Breton, Aragon et Éluard, pour ne citer que le noyau dur du groupe, réservent aux femmes du mouvement : Xavière Gauthier, *Surréalisme et sexualité*, Paris, Éditions Gallimard, coll. « Idées », 1971 ; voir également les chapitres « À la recherche de la muse » et « La femme, muse et artiste » que consacre Whitney Chadwick à l'image de la femme, quelque peu restrictive, propagée dans les textes littéraires et poétiques des mêmes surréalistes : Whitney Chadwick, *Les femmes dans le mouvement surréaliste*, Paris, Éditions du Chêne, 1986 [1985], p. 13-102.

muse, se reflète dans l'œil de celle qui, hors-cadre, observe, dirige et mène à bien ce projet d'une métamorphose sans fin. Qui, dans ce jeu de rôles parfaitement théâtral, est l'artiste créateur, qui est la muse inspiratrice? Force est de constater que les deux déserteurs d'une répartition stéréotypée des rôles de Pygmalion et de Galatée imaginent un nouveau concept d'art et de vie au-delà des frontières traditionnelles, là où, justement, l'art se mêle à la vie et la vie à l'art. Cette esthétique transgressive au sens premier du terme n'était-elle pas au cœur du grand rêve des avant-gardes dadaïste et surréaliste? Ne s'agissait-il pas avant tout d'abattre les cloisons entre les disciplines et les genres, rendre leurs parois plus poreuses?

S'il convient de reprendre, afin de l'approfondir, l'idée de l'artiste et de son modèle, c'est en des termes de réciprocité. Car il est certain que le travail de la graphiste et peintre Moore, plus âgée et plus expérimentée dans le domaine de l'art, a inspiré l'écriture des premiers poèmes en prose de Cahun. Ainsi, la conception en diptyque de *Vues et visions* témoigne de l'influence picturale. Les poèmes sont nourris par le principe du double et du dédoublement, d'un prétendu original et de sa variation qui passe par le biais de la transposition spatiotemporelle. Accompagnés chacun d'un dessin servant de cadre, les vingt-cinq poèmes en prose évoquent sur la page de gauche des observations, des impressions, des réflexions d'un moi qui, le vague à l'âme, passe quelques jours au bord de la mer, au Croisic; sur la page de droite, la même scène se voit transposée dans l'Antiquité gréco-latine. Alors que, dans la scène originale, le «je» semble être toujours le même, dans la variation, il prend d'autres noms, d'autres identités. Tels des enluminures, les dessins[28] — concrets ou abstraits — encadrent les deux scènes. Complémentaires, celles-ci se font face comme dans un jeu de miroir qui aurait la particularité de transformer, de varier, de substituer certains mots ou tournures de phrase. Mots et images reflétés, réalité filtrée à travers le regard et transformée par les moyens de l'écriture, voilà des caractéristiques d'une œuvre qui n'aura de cesse d'explorer plus avant ces effets de dédoublement. La propension au jeu verbal, le principe du détournement de sens, de même que l'idée du double annoncent une esthétique intermédiale[29]

28. Certains de ces dessins décoratifs rappellent le style d'Aubrey Beardsley (qui affichait — rappelons-le — un net penchant pour les représentations saphiques), d'autres semblent s'inspirer de l'esthétique des estampes japonaises (très à la mode en France dans les années 1910), d'autres encore du style Art nouveau.

29. Je ne reviens pas sur cette caractéristique générale de la démarche cahunienne pour avoir amplement illustré cette conception ailleurs: Andrea Oberhuber, «*Cross*

Fig. 4. Claude Cahun, Marcel Moore, *Aveux non avenus*, *Tableau 1*, Photomontage original, 1929-1930, coll. National Gallery of Australia, Canberra.

que Cahun fera sienne tout au long de son cheminement de l'entre-deux : entre les écoles littéraires, les arts et les médias, les noms et les identités. Conçue comme un procédé formel, une forme de différence qui se manifeste dans un jeu de références entre différents « textes », la pratique de Cahun-Moore établira un jeu spéculaire dans lequel les arts et les médias sont mis au service d'une insolite conception de soi et de l'autre. Toujours renouvelées, ces stratégies intermédiales relèvent de la complémentarité, de la redondance ou de la rupture, de la convergence ou de la divergence entre le « je » et son *alter ego*. Elles s'affirment définitivement dans le cadre de son projet autobiographique au titre paradoxal *Aveux non avenus*, désigné dès les premières pages comme une « aventure invisible » pour être modifiée un peu plus loin en « aventure sentimentale » (ANA, p. 1 et 3). « Invisible » et « sentimental », tels sont les mots d'ordre qui circonscrivent en effet une entreprise *borderline* réalisée par Cahun et Moore entre 1919 et 1930, année de publication des *Aveux*. Les « essais poèmes » ou les « poèmes essais[30] » permettent le dialogue des genres, dialogue aussi entre le texte et les images, dialogue, finalement, entre l'auteure et l'artiste plasticienne. C'est à travers le mariage d'antinomies et la juxtaposition d'éléments disparates que le texte et les dix photomontages intercalés s'inscrivent dans l'esthétique surréaliste : faire exploser le cadre habituel de l'écriture et laisser arriver le surréel, conjuguer le rêve et la réalité, déclencher une dynamique de l'écart par différents procédés d'écriture. Dans cette quête à la fois d'un ailleurs et d'un autrement, les photomontages viennent troubler les énoncés fragmentaires qui demeurent le plus souvent opaques. Il est évident qu'aux images ne revient aucune fonction « illustrative ». Mais alors, quelle autre fonction leur attribuer ? Dans une première lecture, elles sont sans aucun doute le gage et l'expression d'une étroite collaboration, d'une complicité exemplaire entre deux créatrices. Et, dans une seconde tentative d'explication, de nature plus sémiotique, ces photomontages revêtent la forme chiffrée d'une déclaration d'amour d'une artiste

gender meets cross media : Claude Cahuns Maskeraden », dans Katharina Hanau *et al.* (dir.), *Geschlechter Differenzen. Beiträge zum 14. Nachwuchs—Kolloquium der Romanistik*, Bonn, Romanistischer Verlag, 1999, p. 123-134 ; « Pour une esthétique de l'entre-deux : à propos des stratégies intermédiales dans l'œuvre de Claude Cahun », *Narratologie*, n° 6, 2004 (à paraître).

30. Le préfacier Pierre Mac-Orlan hésite entre les deux désignations génériques tant ce texte hybride se dérobe à toute classification simple. (ANA, p. III)

Fig. 5. Claude Cahun, Marcel Moore, *Aveux non avenus*, *Tableau* X, Photomontage, 1929-1930, coll. privée (avec l'aimable autorisation de la Galerie Zabriskie, New York).

à l'autre. Cette déclaration d'amour se traduit par le biais des bouches et des mains, symboles du désir lesbien selon Abigail Solomon-Godeau et Honor Lasalle[31].

Autre, altérité, autrement

Les notions de l'autre, de l'altérité et de l'autrement sont le fil conducteur qui garantit la cohérence d'une conception artistique à première vue d'œil inhabituelle et donc déconcertante, disparate parce que protéiforme. L'altérité prend sa source dans le choix de différents pseudonymes (Claude Courlis, Daniel Douglas, Claude Cahun et, pendant la Seconde Guerre mondiale, *Der namenlose Soldat*; Marcel Moore pour Suzanne Malherbe); elle se prolonge dans la réécriture telle que pratiquée dans *Vues et visions* et dans *Héroïnes*, mais également dans l'attribution de nouvelles identités, c'est-à-dire dans ce que Peter Weibel appelle le « libre jeu entre corps, *gender* et sujet[32] ». L'être et le paraître sont constamment en concurrence et brouillent les pistes, faisant du sujet *unique* un être ambigu et ambivalent. Être autrement, s'écrire autrement, se mettre en théâtre dans un éternel jeu de rôles auquel seront convoqués décors, masques et déguisements, telle est la devise de Cahun-Moore. On peut se demander, si « l'aventure invisible » n'est pas celle qui ne laisse pas de traces évidentes, trop facilement lisibles, et qu'au cœur de leur préoccupation se situe l'exploration d'un univers en partie impénétrable. Ainsi seraient-elles à l'origine d'un *onirocosme* déchiffrable uniquement par elles-mêmes — et peut-être par quelques initiés, leurs amis intimes. Ainsi inventeraient-elles un langage idiosyncrasique dont peut se doter un couple au cours d'une vie commune.

Ce que nous pouvons toutefois comprendre de ce langage, c'est avant tout le principe du double et du multiple, comme si Cahun et Moore voulaient une fois pour toutes renoncer à l'idée de l'Un et de l'unicité, de l'original et de la

---

31. Abigail Solomon-Godeau, Honor Lasalle, « Surrealist Confession : Claude Cahun's Photomontages », p. 11-13 ; Abigail Solomon-Godeau, Honor Lasalle, « The Equivocal "I" : Claude Cahun as Lesbian Subject », dans Shelley Rice (dir.), *Inverted Odysseys*, p. 111-125, Abigail Solomon Godeau propose une lecture nuancée de l'impact du lesbianisme sur l'œuvre cahunienne.

32. Peter Weibel parle de « *freies Spiel zwischen Körper, Geschlecht und Subjekt* » par lequel Cahun préfigure dans ses mises en scène de soi des phénomènes comme le *body art* des années 1979 et la *gender performance* de bon nombre d'artistes contemporains. (Peter Weibel, « *Alias aliter* oder das Subjekt als Sprachspiel : Claude Cahun — Verschieber, Diktatur der Dyade m/w », dans *Claude Cahun. Bilder*, p. xxxiv)

Fig. 6. Claude Cahun, *Autoportrait*, vers 1928, coll. Musée des Beaux-Arts, Nantes.

copie. Il est vrai que le motif du double est omniprésent dans les autoportraits réalisés entre 1912 et 1947. C'est grâce au jeu des masques que le « je » se dote toujours de nouveaux visages. La célèbre phrase, souvent citée depuis, insérée dans le « Tableau X » (fig. 5), rend ces mascarades explicites : « Sous ce masque un autre masque. Je n'en finirai pas de soulever tous ces visages. » (ANA, p. 212) Cependant, à force de trop s'amuser avec les masques, la décalcomanie peut réserver des surprises :

Devant le miroir un jour d'enthousiasme, on applique trop son masque, il vous mord à la peau. Après la fête, on soulève un coin pour voir... Décalcomanie manquée. On s'aperçoit avec horreur que la chair et le cache sont devenus inséparables. Vite, un peu de salive ; on recolle le pansement sur la plaie[33].

La duplicité atteint son apogée dans les photomontages où le double rencontre d'autres doubles pour finalement se fondre en multiples. C'est du moins l'idée que suggère le « Tableau IX » (ANA, p. 180, fig. 7) : le photomontage présente l'assemblage de la même image de jeunesse de Cahun, les sept autoportraits formant un nœud gordien, et ce, d'autant plus que six des images sont emboîtées l'une dans l'autre (à la manière dont sont attachées des jumelles siamoises) et que des fragments de bras et de jambes y sont entremêlés. Le dédoublement, voire la « spectralisation du "je" participe d'une théâtralisation de l'expression[34] », à laquelle est reliée, comme chez la plupart des autobiographes et *performance artists*, un narcissisme affirmé qui va de pair avec un exhibitionnisme inéluctable[35].

L'AMOUR AU PRÉCIPICE DU NARCISSISME ?

Face à cette altérité surabondante, le narcissisme que révèlent les textes littéraires, les autoportraits et la plupart des photomontages, apparaît comme l'ultime paradoxe. Mais au fond, tout projet d'autoreprésentation n'est-il pas inévitablement porté par un élan narcissique, comme nous venons de le constater avec Leiris ? C'est dans la deuxième partie d'*Aveux non avenus*, intitulée « Moi-même (faute de mieux) » que Cahun convoque à plusieurs reprises la figure de Narcisse, symbole parfait de notre société occidentale :

33. Claude Cahun, « Carnaval en chambre », *La ligne de cœur*, n° 4, mars 1926, p. 48-49. On consultera dans ce contexte l'autoportrait datant d'environ 1928 (*Claude Cahun. Bilder*, p. 27, fig. 6), sur lequel Cahun semble avoir enlevé l'un de ses masques (flottant en haut à gauche) sans encore en connaître le résultat ; son regard sceptique dans l'objectif est significatif à cet égard.

34. Martine Antle, « Les femmes photographes du surréalisme », dans Georgiana M. M. Colvile et Katherine Conley (dir.), *La femme s'entête : la part du féminin dans le surréalisme*, p. 92.

35. Michel Leiris avoue ce penchant dès les premières lignes de *L'âge d'homme*. Loin de vouloir donner toutefois dans le narcissisme classique, la description de son physique se termine sur sa « laideur humiliante » (Michel Leiris, *L'âge d'homme*, Paris, Éditions Gallimard, 1939, p. 24). Par conséquent, le narcissisme se voit détourné chez lui vers le dégoût de soi-même.

Fig. 7. Claude Cahun, Marcel Moore, *Aveux non avenus*, *Tableau* IX, Photomontage, 1929-1930, Éditions du Carrefour, Paris.

Le mythe de Narcisse est partout. Il nous hante. Il a sans cesse inspiré ce qui perfectionne la vie, depuis le jour fatal où fut captée l'onde sans ride. Car l'invention du métal poli est d'une claire étymologie narcissienne. Le bronze — l'argent — le verre : nos miroirs sont presque parfaits. (ANA, p. 38)

Méfions-nous de toute conclusion simpliste qui verrait derrière ce type d'affirmation générale (dont regorgent les *Aveux*) le credo d'un « je » narcissique. Car, quelques lignes plus loin, ce même « je » prend ses distances par rapport à l'idée de vouloir « fixer l'image dans le temps comme dans l'espace » : « "Miroir", "fixer", voilà des mots qui n'ont rien à faire ici ». (ANA, p. 38) L'évocation réitérée du mythe de Narcisse tout au long de cette deuxième partie est moins l'éloge d'une philautie, d'un « [s]elf-love[36] », qu'une invitation à réfléchir sur le regard : regard — sans fard — sur soi-mêmes, et regard porté sur l'autre. Cette lecture se voit confirmée par l'analyse du photomontage ouvrant la partie « Moi-même ». Dominé par un immense œil qui, semblable à une planète lunaire, occupe la partie inférieure de l'image, le « Tableau III » (ANA, p. 26, fig. 8) thématise explicitement le regard : par l'œil, évidemment, mais aussi par le biais d'un miroir de femme tenu par une main, dans lequel est reflétée la partie supérieure seulement du visage de Cahun, soit ses yeux et son front. À bien y regarder, on s'aperçoit que l'œil-planète est l'agrandissement surhumain de l'œil droit de Cahun. Reste à savoir à qui s'adresse ce double regard, à qui s'adressent tous ces regards directs dans l'objectif de l'appareil photo, autre type de miroir. Aux spectateurs que nous sommes, certes, et nous sommes plus d'une fois déconcertés par ce regard fixe et percutant. Mais il s'adresse sans doute aussi à celle qui, derrière la caméra, dirige savamment la mise en scène du sujet et appuiera, le moment venu, sur le déclencheur, afin de fixer cette image parmi tant d'autres. On l'aura compris : l'œil et le regard ont une fonction métaphorique dans cette démarche qui se veut aussi bien esthétique que psychologique. Si, de plus, il faut voir derrière ces nombreux autoportraits, à défaut d'une existence certaine, le besoin de s'assurer d'une existence momentanée au sens de « Je me vois, donc je suis », le regard de Cahun prolonge la scène vers le hors-champ, là où l'on devine son *alter ego*. Par-delà l'étonnante fixité du regard comme expression d'une souveraineté, ce regard *off* établit, en définitive, le lien avec l'Autre. En même temps, il s'inscrit contre la pratique photographique dominante, celle de Man Ray, de Brassaï, d'André Kertesz ou de Raoul Ubac, par exemple, qui, la plupart du temps, montrent des corps de femmes

---

36. L'elliptique « *Self-love* » joue à deux reprises le rôle d'intertitre ouvrant les passages suivants : « La mort de Narcisse m'a toujours paru la plus incompréhensible. Une seule explication s'impose : Narcisse ne s'aimait pas. Il s'est laissé tromper par une image. Il n'a pas su traverser les apparences » (ANA, p. 36) et « Une main crispée sur un miroir — une bouche, des narines palpitantes — entre des paupières pâmées, la fixité folle de prunelles élargies… Dans l'horizon brutale d'une lampe électrique, en blond, mauve et vert sous les étoiles, voilà tout, par pudeur ! ce que je voudrais éclairer du mystère : le néo-narcissisme d'une humanité pratique. » (ANA, p. 37)

Fig. 8. Claude Cahun, Marcel Moore, *Aveux non avenus*, *Tableau III*, Photomontage, 1929-1930, coll. privée (avec l'aimable autorisation de la Galerie Zabriskie, New York).

fragmentés, distordus et, surtout, des visages aux yeux fermés. Ce qui, de prime abord, paraît donc profondément narcissique, peut se révéler, comme dans un bain chimique, une double, sinon une triple remise en question de cette impression de départ : d'abord, parce que l'autoportrait, comme forme traditionnelle d'autoreprésentation d'un individu à un moment précis de sa vie, trouve son unicité démentie à travers la démultiplication *ad infinitum* ; ensuite, parce que le sujet récuse le jeu de la femme-objet devant l'objectif telle qu'aimait la glorifier la photographie et la peinture surréalistes ; et enfin, parce que, tout comme dans l'écriture autobiographique, le « je » appelle constamment un « tu ». Chez Cahun, le narcissisme ouvre donc un espace de transition[37] où, comme dans un *perpetuum mobile* l'un renvoie toujours à l'autre sans jamais atteindre un état stable, où sont accueillis non seulement différents regards et identités (remodelées par des postures et des déguisements, des masques et des mascarades qui puisent dans le fonds quasiment illimité d'un imaginaire débridé), mais également d'autres voix, des spectres et des figures transfuges. Ce besoin d'autres présences entraîne le récit des *Aveux* dans une dimension dialogique ; c'est comme si l'introspection nécessitait un autre, le double, l'*alter ego* tant recherché, afin de pouvoir établir un dialogue avec lui et, au bout du compte, de s'avouer. La voix d'autrui est à l'écriture du moi ce qu'est le miroir à l'autoportrait photographique : se refléter dans une surface lisse, moins par inclination narcissique, bien que ce penchant ne soit négligeable, que pour faire parader devant le lecteur-spectateur les multiples voix et visions intérieures d'un univers onirique.

Rattachés l'un à l'autre par un anneau imperceptible à l'œil nu, le(s) texte(s) d'*Aveux non avenus* et les photomontages peuvent se lire comme des trompe-l'œil. Ostensiblement, il leur manque une dimension, celle qui nous intrigue et nous interpelle parce que cette dimension *en moins* ouvre une brèche à la séduction, comme le constate Baudrillard à propos du miroir et du narcissisme : « La séduction est ce dont il n'y a pas de représentation possible, parce que la distance entre le réel et son double, la distorsion entre le Même et l'Autre y est abolie[38]. » En effet, Cahun ne cherche ni en soi ni chez Moore l'attraction du

---

37. Martine Antle parle d'un « espace de récréation » pour désigner la dimension ironique qui sous-tend bon nombre des autoportraits de femmes surréalistes. (Martin Antle, « Les femmes photographes du surréalisme », p. 93)

38. Jean Baudrillard, *De la séduction*, Paris, Éditions Galilée, coll. « L'espace critique », 1979, p. 93.

même ou l'exaltation mimétique de sa propre image. Bien au contraire, consciente des effets trompeurs du mirage de la ressemblance, plutôt que de vouloir retrouver le reflet identique de soi-même sur une surface miroitante, elle est obsédée par l'idée de la métamorphose. Vers la fin de son voyage introspectif, le « je » ne termine-t-il pas ses autoréflexions sur un souhait lucide : « Vive et grandisse en moi celui, celle — ou simplement ce — qui me permit, jeune encore, de comprendre que je ne puis, toucher, transformer, que moi-même » (ANA, p. 233)? Se transformer constamment deviendrait alors la réponse à un univers « en humeur de métamorphose » (ANA, p. 233). L'idée de se métamorphoser, de « changer de peau : arrache-moi la vieille » (ANA, p. 232) — tel est l'impératif mis en exergue à la dernière partie des *Aveux* — traduit toujours ce même désir de tendre le miroir à ceux qui lisent le texte, regardent les photomontages. Si dans le cas des écrits et des images est déclenché un sentiment vertigineux devant un gouffre qui s'ouvre, c'est probablement parce que le *spectacteur* aperçoit dans ce miroir tendu vers lui une absence de profondeur révélant un « abîme superficiel qui n'est pas séduisant et vertigineux pour les autres que parce que chacun est le premier à s'y abîmer[39] ». Ainsi, la séduction porte en elle autant d'(at)traits de narcissisme que d'altruisme. Car, l'ultime destinataire de ces œuvres d'art n'est-elle pas l'âme-sœur de Cahun, Marcel Moore? Celle qui est toujours à ses côtés, qui l'inspire et, du début jusqu'à la fin, apporte son concours à une grande partie de l'œuvre littéraire et photographique? N'est-ce pas elle en premier qu'il s'agit de séduire? Je suggère, comme grille de lecture de la démarche de Cahun-Moore, une stratégie de la séduction mutuelle qui, toujours selon Baudrillard, s'apparente à celle du leurre en se présentant comme un miroir de l'inconscient et du désir : « Séduire, c'est mourir comme réalité et se produire comme leurre[40]. » C'est dans la répétition que l'illusion du leurre est capable de conférer une réalité absolue à l'objet-sujet qui réussit à capter le faucon. Le leurre confirme, tout compte fait, la reconnaissance du pouvoir incontesté du rituel de la séduction. Comme sur une scène de théâtre, Cahun répète différents rôles, essaie des costumes et des masques, se complaît dans des postures tantôt mythologiques, tantôt ironiques ou parodiques. Ces diverses métamorphoses fixées sur négatif, puis tirées dans le but d'en faire un usage personnel[41], ne sont donc pas *a priori* destinées à séduire

39. Jean Baudrillard, *De la séduction*, p. 95.
40. Jean Baudrillard, *De la séduction*, p. 96.
41. Voir à ce propos les remarques critiques de Catherine Gonnard dans son article

quiconque, mais principalement la « protagoniste » elle-même et sa « metteure en scène », Moore. Dans un deuxième temps, ces images semblent avoir été montrées ou offertes à certains bons amis du couple. Le caractère privé des photographies, surtout des autoportraits — à quelques exceptions près[42] —, contrairement à la publication d'une majeure partie des œuvres littéraires de Cahun, soulève la question du lien qui existe entre la production artistique du couple Cahun-Moore et la sphère publique. Le choix du petit format de la plupart des tirages et le fait qu'ils ne sont pas signés confirment l'hypothèse du but privé auquel étaient apparemment destinées ces photographies. Elles acquièrent pourtant un statut public à travers leur recyclage dans les dix photomontages insérés dans *Aveux non avenus*. Faut-il en conclure que les autoportraits constituaient avant tout un fonds d'images qui devaient, à leur tour, nourrir les photomontages puisqu'on y retrouve, en fragments, un grand nombre de ces fascinants autoportraits ? Ou alors, Cahun-Moore faisaient-elle la part des choses entre les mises en scène de soi à caractère strictement privé et la conception de portraits d'artistes, de photomontages et d'objets surréalistes voués dès le départ à la publication ou à l'exposition ? Tant qu'on ne dispose d'autres sources nous

sur la première exposition des autoportraits de Cahun en France, au Musée d'art moderne de la ville de Paris : Catherine Gonnard, « Claude Cahun photographe. Un paradoxe lesbien », *Lesbia magazine*, nº 141, septembre 1995, p. 30-32. La journaliste insiste sur le caractère « obscène » des agrandissements des photographies qui, sans indiquer leur format originel, tromperaient le spectateur dans sa réception et ne rendraient pas compte de l'intimité liée aux autoportraits. Elle y souligne également le paradoxe entre présentation publique et destination privée des photographies, de même que celui qui consiste à placer les œuvres de Cahun dans le seul contexte de la modernité sans mention aucune de son homosexualité, point d'ancrage de leur production. C'est sur ce dernier point qu'insiste également Laura Cottingham, *Cherchez Claude Cahun*, p. 19-22.

42. L'un des rares autoportraits signés, « Que me veux-tu ? » (fig. 9), parut en 1929 sur la page de couverture du recueil *Frontières humaines* de Ribemont-Dessaignes avant d'être reconfiguré dans le « Tableau IV » d'*Aveux non avenus*. En 1930, Cahun publia dans le numéro 5 de *Bifur*, modeste revue parisienne, l'« Autoportrait » anamorphotique (environ 1929), c'est-à-dire une variante de l'autoportrait datant de 1928 (voir *Claude Cahun. Bilder*, p. 42 et 43), adhérant ainsi ouvertement à l'esthétique surréaliste. C'est en 1936 seulement que Cahun rendit vraiment public son travail en participant avec « Souris valseuses » et « Un air de famille » à la grande *Exposition surréaliste d'objets* organisée à la Galerie Charles Ratton à Paris. Un an plus tard, à la publication du *Cœur de pic* de Lise Deharme, le public prit à nouveau connaissance des œuvres de Cahun : le livre pour enfants est « illustré de vingt photographies de Claude Cahun ».

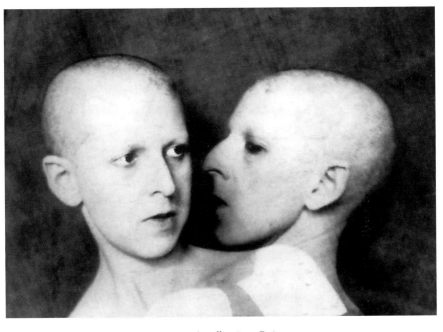

Fig. 9. Claude Cahun, *Que me veux-tu ?*, 1928, coll. privée, Paris.

111

informant sur la relation « privée-publique[43] » qu'entretenait le couple avec ses photographies, la question demeure entière. Mais elle nous amène sur un autre terrain, celui de l'opinion publique face au désir lesbien.

LE DÉSIR LESBIEN, UN « FAUX MASQUE » ?

La circulation interne des images de Cahun et de Moore en dit long également sur les interdits et les tabous auxquels se heurtaient les amantes dans l'espace public. C'est en ce sens que les travaux du couple revêtent une fonction émancipatoire : les multiples figures du « je » nient l'idée d'une identité comme la seule « vraie » et, par là, celle de l'idée d'une fausse identité car « déviante ».

43. Selon François Leperlier, l'artiste entretenait une relation « privée » avec ses photographies. Il donne comme explication le refus de vouloir faire carrière en photographie en faveur d'un dilettantisme revendiqué et d'un penchant pour « l'indéfini » : François Leperlier, « Claude Cahun », dans *Mise en scène*, catalogue d'exposition, Londres, Institute for Contemporary Arts, 1994, p. 16-20.

Ceci est d'autant plus important à une époque qui stigmatise le désir lesbien comme «faux masque[44]», ou dans une culture qui considère, comme l'avait analysé Joan Rivière, la féminité comme mascarade («*womanliness as a masquerade*[45]»). Nombreux sont ceux qui, dans l'entre-deux-guerres, voient dans les couples lesbiens une déviation de l'émancipation des femmes; le scandale provoqué par *La garçonne* de Victor Margueritte confirme cette stigmatisation. Le discours médical et psychiatrisant du début du XXe siècle sur le phénomène du «travestissement» en général et des «femmes travesties» en particulier contribue largement à la pathologisation d'une pratique érotique autre. Ce qui est vécu comme une libération sociale et sexuelle est interprété, selon le modèle médical hétérosexuel, comme une pratique immorale, malsaine, bref contre-nature[46]. Jusqu'à quel point faut-il voir dans l'homosexualité féminine une réaction à l'oppression sociale — dans le dessein de contourner des barrières profession-nelles —, un désir de s'affranchir des limites hommes/femmes et des contraintes sociopolitiques véhiculées par cette dichotomie? La réponse n'est pas géné-ralisable tellement le phénomène du travestissement, qui n'est que l'apparence d'un bouleversement plus profond des rôles sexués, revêt dans chaque cas ou chaque couple une motivation bien particulière. Mais, ce que les phénomènes

44. Voir à ce propos Laurie Monahan, «Claude Cahuns radikale Transformationen», *Texte zur Kunst*, n° 11, septembre 1993, p. 103; Elisabeth Lebovici, «"I am in training. Don't kiss me"», *Claude Cahun photographe*, p. 21; Laura Cottingham, «Betrachtungen zu Claude Cahun», p. XVII.

45. Tel est le titre d'un article publié pour la première fois en 1929 dans le *Journal of Psychoanalysis* (repris dans Joan Rivière, *The Inner World and Joan Rivière. Collected Papers 1920-1958*, London, Karnac Books, 1991, p. 90-101). Dans cet article, la psychana-lyste rendait compte d'une certaine attitude de (sur-)féminité affichée par des patientes qui voulaient réussir dans le monde des hommes sans provoquer leur méfiance, d'une part, ou pour qui la féminité était le moyen de se soumettre aux jeux de rôles traditionnels afin d'éviter la concurrence masculine, d'autre part. Dans les deux cas, Rivière compare la «féminité» à une mascarade, autrement dit à une stratégie typiquement féminine censée garantir, du moins en apparence, l'ordre social par le jeu sexué traditionnel, ce qui équivaut, selon l'analyste, à la négation même d'une féminité «essentielle».

46. Voir Marie-Hélène Bourcier, «Des "femmes travesties" aux pratiques transgenres: repenser et *queeriser* le travestissement», *CLIO, Histoire, femmes et sociétés*, n° 10, 1999, p. 118-121. L'auteure souligne le prolongement de cette vision depuis le XVIIIe siècle, pour lequel le travestissement était une «perversion contre-nature» qui procurait des «orgas-mes contre-nature»; Freud, à son tour, concevra le fétichisme comme une perversion uniquement masculine.

Fig. 10. Claude Cahun, *Entre nous*, 1926, Galerie Berggruen.

historiques de la « nouvelle femme » et du désir lesbien soulevaient comme question fondamentale commune, c'était la nécessité de repenser la norme hétérosexuelle sur les plans philosophique, médical, social et politique, de comprendre cette nouvelle apparence et la pratique érotique qui lui est associée comme la déstabilisation des frontières assignées entre les deux sexes, de les accepter comme la crise des catégories perçues volontiers comme stables, de briser, d'après Judith Halberstam, avec la rhétorique binaire du *trans-* et du *cross-* pour ne pas reconduire le bipolarisme[47].

Cahun et Moore, selon le choix des médias et du projet, faisaient leur des idées et des positions souvent à l'opposé des normes sociales et esthétiques, se situant presque systématiquement au-delà de la « normalité ». Ces positions, Cahun en particulier les défendait d'autant plus décidément qu'en tant que juive, femme et lesbienne, elle se retrouvait d'office à la périphérie et que non seulement son éthique, mais aussi sa démarche d'artiste devaient forcément différer du centre, se retrouver à l'écart du *mainstream*. Enracinées dans un éclectisme avoué, les choix esthétiques du couple Cahun-Moore les ont toujours placées dans une atopie radicale qu'elles semblaient rechercher sans cesse[48]. Dans *Gender Trouble*, Judith Butler se demande dans quelle mesure « identité » équivaut plus à un idéal normatif qu'à un signe descriptif d'expérience. Elle souligne que la « cohérence » et la « continuité » d'une « personne » ne sont pas des signes logiques et analytiques de sa personnalité, mais renvoient à des conventions sociales et à un ordre moral par lesquels les êtres humains sont non seulement définis, mais également normés[49]. Au lieu de se laisser enfermer dans ces conventions, Claude Cahun et Marcel Moore inversent les pôles de celles-ci pour imaginer un mode de création, de vie, d'identité et d'amour radicalement différent. Dans leur salon, à l'écart de l'avant-garde surréaliste, elles créent un espace où devient possible leur *love story* de l'entre-deux : entre deux époques, entre arts et médias, entre deux femmes artistes (fig. 10).

47. Marie-Hélène Bourcier, « Des "femmes travesties" aux pratiques transgenres », p. 128-132. Florence Tamagne propose un portrait général, littéraire et artistique de cette modernité rebelle : Florence Tamagne, *Mauvais genre ? Une histoire des représentations de l'homosexualité*, p. 133-155.

48. Voir Elisabeth Bronfen, « Die Vorführung der Hysterie », dans Aleida Assmann et Heidrun Friese (dir.), *Identitäten. Erinnerung, Geschichte, Identität* 3, Frankfurt am Main, Suhrkamp Verlag, 1998, p. 256. Bronfen utilise le terme « *radikale Atopie* » pour désigner, comme l'une des caractéristiques générales de la démarche cahunienne, la transgression des frontières conventionnelles à la recherche permanente d'un *Sein*, d'une identité indéfinis.

49. Judith Butler, *Gender Trouble : Feminism and the Subversion of Identity*, New York, London, Routledge Press, 1999 [1990], p. 17.

Don et image de don : esthétique documentaire et communauté

Marion Froger

> Ce qui serait premier pour vous, ce serait l'amitié. Évidemment, l'amitié ne serait pas une circonstance extérieure plus ou moins favorable, mais tout en restant la plus concrète, une condition intérieure à la pensée comme telle. Non pas qu'on parle avec l'ami, qu'on se souvienne avec lui, mais au contraire, c'est avec lui qu'on traverse des épreuves […]. On irait jusqu'à la méfiance envers l'ami, et c'est tout cela, qui, avec l'amitié, mettrait la « détresse » dans la pensée, de manière essentielle[1].

L a multiplication des plaintes et des recours en justice, en France notamment, du fait de la spécificité du contexte juridique sur la question du droit à l'image[2], montre que la pratique documentaire est particulièrement sensible aux rapports sociaux qu'elle met en jeu. Il semble en effet qu'elle ne puisse s'inscrire dans un cadre unique, fixe, juridique et fonctionnel, mais doive composer avec la concurrence des règles de chaque terrain qu'elle occupe, en tant que production commerciale, pratique artistique et discours social. Commanditaires, cinéastes et personnes filmées ont chacun une idée du film, de leur rôle et de leur droit, qui ne coïncident pas forcément les unes avec les autres. En fait, différentes pratiques sociales sont impliquées dans la production documentaire,

---

1. Gilles Deleuze, « Correspondance avec Dionys Mascolo » [1988], (« Correspondance D. Mascolo-G. Deleuze », *Lignes*, n° 33, mars 1998, p. 222-226) repris dans *Deux régimes de fous. Textes et entretiens 1975-1995*, Paris, Éditions de Minuit, coll. « Critique », 2003, p. 307.

qui relèvent des règles du secteur marchand, artistique et médiatique, sans qu'il y ait forcément entre elles de commune mesure.

Au cœur de cet affrontement : le statut de l'image, qui varie considérablement d'un secteur à l'autre. Produit d'une industrie et objet de transaction commerciale, l'image est réifiée, en devenant un bien cessible ; œuvre d'artiste, elle se constitue de manière autonome, indépendamment de son contexte de production, pour ne devoir son sens qu'aux spectateurs qui en font une expérience esthétique ; constitutive d'un discours social, impliquée dans l'existence publique de chacun, elle est dite substitut des personnes, au même titre que leur parole.

En cas de litige entre cinéastes et personnes filmées ou commanditaires, c'est non seulement la question du statut de l'image qui ressurgit, mais aussi celle d'une expérience relationnelle difficile, qui n'a pas su s'inscrire dans un cadre institué, ou s'est inscrite dans plusieurs cadres, avec, comme résultat, des positions et des investissements incompatibles.

En France, le traitement juridique de ce type de litige a suscité beaucoup de remous dans le milieu des documentaristes. La plupart des cinéastes ont réagi pour faire valoir la prééminence de leur droit d'auteur sur celui des personnes filmées[3] ; les personnes filmées, la prééminence de leur droit au respect de l'intégrité de leur personne[4] sur celui de diffuser leur image et d'en faire commerce ; et les commanditaires, leur droit sur l'exploitation et la diffusion des images issues de leurs investissements[5] sur celui des auteurs à disposer de leur œuvre.

2. Sur la question du droit à l'image — droit pour un particulier d'empêcher toute publication de son image sans autorisation expresse de sa part — je renvoie au numéro spécial qui lui est consacré dans la revue *Images documentaires*, « le droit à l'image ? », n°s 35/36, 3e et 4e trimestre 1999, ainsi qu'à *La Revue Documentaires*, « l'auteur en question », n° 14, 1er trimestre 1999.

3. Dans l'affaire qui oppose l'instituteur Lopez à Nicolas Philibert, auteur du documentaire à succès *Être et avoir* (2002), une des principales revendications de l'instituteur concerne son cours, qu'il estime être son œuvre, et dont Philibert se serait servi, sans pourtant lui accorder de statut d'auteur… Sur ce point, voir l'article de Bernard Eldelman, « Monsieur Lopez et la réalité payante », *Cahiers du cinéma*, n° 585, décembre 2003, p. 52-53.

4. Les droits de la personne sont en effet au centre de la plupart des affaires de protection de la vie privée, diffamation, falsification des propos, etc.

5. Le cas de litige le plus connu au Québec est sans conteste l'affaire *24 heures ou plus* (Gilles Groulx, 1972) ; celle de *Passiflora* (Fernand Bélanger, 1987) l'est un peu

Ce débat a permis de mettre en lumière l'importance de l'expérience relationnelle singulière à l'origine de toute image documentaire, mais essentiellement du point de vue du cinéaste, de sa pratique professionnelle et artistique, et de l'incidence commerciale et publique de cette pratique. Or, cette expérience relationnelle ne se résume pas aux possibilités de conflit ou d'entente, à propos d'une prise, d'une fabrication, d'une diffusion ou d'une perception d'images, dans le contexte d'une économie de marché et d'un État de droit. Elle a une portée esthétique. Il est possible d'établir un rapport étroit entre l'expérience relationnelle et l'expérience esthétique du documentaire, qui reposerait sur la perception du sens et de la valeur du rapport à l'autre. Le *lien à l'autre* serait alors le principal enjeu d'une image offerte, créée et perçue hors des cadres institués des rapports sociaux qu'implique ce commerce de l'image. Dès lors, il s'agit de comprendre comment une pratique documentaire s'ouvre sur une expérience esthétique singulière, que je qualifierai de communautaire : elle ferait écho, du côté du spectateur, à une forme de socialité qu'il met lui-même en œuvre, et qui privilégie le lien social sur la production, l'acquisition et l'échange de biens et de services : ce que Jacques T. Godbout a nommé le système du don[6].

moins mais relève du même cas de figure. L'Office national du film, par l'intermédiaire de son commissaire, refusa de diffuser les films, prétextant que ceux-ci seraient incompatibles avec les objectifs de sa mission médiatique — produire de l'information objective — en tant qu'organisme public. Depuis, les mentalités ont évolué : l'ONF oppose désormais à la gageure de l'objectivité un droit d'expression qu'il dit vouloir défendre et semble vouloir assumer — non sans remous — le parti pris polémique ou militant des films qu'il commandite. Pour preuve, cet extrait de lettre de la commissaire du gouvernement à la cinématographie, qui répond aux accusations de partialité lancées par un dirigeant d'une des principales entreprises forestières mises en cause dans *L'erreur boréale* (Richard Desjardins, Robert Monderie, 1999) : « Je suis intimement convaincue que ce film s'inscrit avec force dans la tradition de l'ONF et qu'il contribue, à sa manière, à faire du Canada un pays démocratique où des valeurs fondamentales telles que la liberté d'opinion et la liberté d'expression ont droit de cité. » (Lettre du 14 juin 1999, Archives de production de l'ONF)

6. J'y reviendrai longuement dans les pages qui suivent. Voir Jacques T. Godbout, *Le don, la dette et l'identité*, Montréal, Éditions Boréal, 2000.

Fig. 1. Stéphane-Albert Boulais lors du tournage de *La bête lumineuse* (photographe : Martin Leclerc, source : Cinémathèque québécoise, avec l'aimable autorisation de l'Office national du film du Canada).

EXPÉRIENCE RELATIONNELLE ET EXPÉRIENCE ESTHÉTIQUE

Il est pourtant habituel de dissocier expérience relationnelle et expérience esthétique : la manifestation de la première étant censée bloquer l'accès de la seconde. Quand la personne filmée cherche dans le film, sinon une élucidation, du moins une trace de l'expérience relationnelle d'où provient le film, cette « lecture » lui serait propre. Son implication lui interdirait une expérience esthétique à part entière, qui repose sur une rupture complète avec l'expérience qui a fait naître le film, puisque c'est dans cette rupture que réside le caractère autonome d'une œuvre. C'est ce que répète Pierre Perrault, dans les lettres qu'il adresse à Stéphane-Albert Boulais, principal protagoniste de *La bête lumineuse* (ONF, 1981), afin de désamorcer sa colère : « [...] l'image, l'album ne parle pas à un étranger de la même façon qu'à celui qui est sur la photo. Tu es sur la photo. Moi je parle au spectateur[7]. » À travers la figure « invraisemblable » de

7. Lettre de Pierre Perrault à Stéphane-Albert Boulais, citée dans Stéphane-Albert Boulais, *Le cinéma vécu de l'intérieur. Mon expérience avec Pierre Perrault*, Hull, Éditions de Lorraine, 1988, p. 47.

Stéphane-Albert, Perrault veut créer un imaginaire proprement québécois, alors que celui-ci est colonisé par les figures étrangères de la culture américaine et française. Le choc esthétique est de rigueur, et Stéphane-Albert, pour le comprendre, doit se défaire de l'expérience du tournage et du souvenir douloureux qu'il en garde.

> Comme mes plus beaux personnages tu n'es pas vraisemblable, tu dépasses la fiction comme Maurice Chaillot d'ailleurs, mais ce que les lecteurs de cinéma ne comprennent pas les hommes l'entendent et de toute manière, avec le temps, ils finiront par comprendre, par s'habituer à toi. Mais pour s'habituer à toi, l'homme québécois doit s'accepter et ce sont les cinéphiles du cinéma Outremont qui hésiteront le plus à accepter cette image d'eux-mêmes puisqu'ils ont l'habitude de se voir dans John Wayne. Tout cela repose sur une entreprise de libération de l'homme québécois des fictions et des idoles qui lui viennent d'ailleurs[8].

Une autre cinéaste réagira de la même manière pour contrer les réprimandes que lui adresse son personnage principal. Confrontée à la fois à la nécessité de témoigner de son expérience filmique avec Jacques Derrida[9] et de l'importance de cette expérience dans le portrait audiovisuel — mais en même temps farouchement attachée à produire le film comme œuvre à part entière, Safaa Fathy justifie ses choix de montage par un principe d'autonomie de l'œuvre comme condition de son expérience esthétique. L'histoire du film, présente jusque dans les dernières versions de montage grâce à des images super-8 prises *par* Jacques Derrida, ne fut finalement pas retenue dans la version finale. Cette histoire, d'après Safaa Fathy, aurait empêché le film de se « répandre », de s'insinuer dans les temps différés de sa réception. Selon elle, pour devenir objet d'une expérience esthétique, le film a besoin d'abdiquer l'expérience dont il est issu. Le film a besoin qu'on oblitère son arrière-fond, ce que le « faire ensemble » a produit, la trace qu'il a laissée dans la vie des protagonistes.

> Les images du film en train de se faire sont restées dans le montage jusqu'à l'avant-dernier moment. Les toutes dernières à avoir été enlevées. Selon un argument implacable, l'expérience du film ne devrait pas revenir au film. Ce tout, dont le film ne montre qu'une partie infime, doit demeurer dans l'ombre de son temps,

---

8. Lettre de Pierre Perrault à Stéphane-Albert Boulais, citée dans Stéphane-Albert Boulais, *Le cinéma vécu de l'intérieur*, p. 51-52.

9. Safaa Fathy, *D'ailleurs, Derrida*, Gloria Films productions / La sept ARTE, France, 1999.

pour, à la fin des fins, s'ouvrir au temps des autres. Le film, dégagé de lui-même et de son histoire, gagne en ouverture et en pertinence globale et universelle[10].

Le temps diégétique doit supplanter le temps profilmique pour que le temps esthétique (de la perception) puisse s'insinuer dans le temps vécu du spectateur. C'est pourtant par un tout autre chemin que Derrida aborde l'œuvre et invite le spectateur à y entrer. Dans les toutes premières lignes de son témoignage, il est d'abord question d'abandon :

> Ainsi, baissant la garde avant même d'en décider, avant même de me retourner, je me serai laissé surprendre [...]. Jamais je n'ai consenti à ce point. Pourtant jamais le consentement n'a été aussi inquiet de lui-même, aussi peu et aussi mal joué, douloureusement étranger à la complaisance, simplement impuissant à dire non, à puiser dans le fond du non que j'ai toujours cultivé. [...] Jamais, comme en connaissance de cause, je n'ai ainsi agi en aveugle [...]. Jamais je n'ai été aussi passif, au fond, jamais je ne me suis laissé faire, et diriger à ce point. Comment ai-je pu me laisser surprendre à ce point, si imprudemment ? Alors que depuis toujours je suis, enfin je crois être averti, et j'avertis que je suis averti — contre cette situation d'imprudence ou d'improvidence (la photographie, l'entretien improvisé, l'impromptu, la caméra, le micro, l'espace public même, etc.)[11].

Après quelques pages d'explications sur des propos montés sans lui — n'est-ce pas la première fois qu'il se laisse ainsi déposséder de sa parole ? — Jacques Derrida parle d'une défaillance de soi au contact de soi et des autres. Ce qui semble se vivre dans une expérience filmique de personnage filmé, c'est un partage d'impossibilité. C'est une impossibilité en partage :

> Même s'il a déjà eu lieu, l'arrivée de ce film reste pour moi impossible comme tout ce dont il parle, et dont c'est la définition philosophique à mes yeux la plus irrécusable : le *pardon*, s'il y en a, ne peut être possible que s'il fait l'impossible, s'il paraît impossible. Il en va de même pour le *don* sans échange ou sans retour, sans merci, pour l'*hospitalité* inconditionnelle, pour la *responsabilité*, la *décision*, la *bénédiction*...[12]

Le film est pardon, don, hospitalité, responsabilité. Le film manifeste le rapport à l'autre comme impossibilité de la communication, de la rencontre, de la communauté : il le fait *advenir* dans l'ordre d'une rencontre, d'une commu-

10. Jacques Derrida, Safaa Fathy, *Tourner les mots. Au bord d'un film*, Éditions Galilée/ARTE Éditions, Paris, 2000, p. 160.

11. Jacques Derrida, Safaa Fathy, *Tourner les mots*, p. 73.

12. Jacques Derrida, Safaa Fathy, *Tourner les mots*, p. 112.

Fig. 2. Jacques Derrida sur une plage en Californie lors de tournage de *D'ailleurs, Derrida*, mai 1999 (avec l'aimable autorisation de Safaa Fathy).

nication, d'une communauté impossibles, et pourtant sensibles[13]. Jacques Derrida accorde à Safaa Fathy le génie d'avoir laissé apparaître au spectateur l'*impossibilité* de toute identification ou reconnaissance, en laissant paraître la fragilité

13. Si l'expérience filmique livre une image du rapport à l'autre, de quel type d'image s'agit-il? D'une image pleine qui ignore l'impossible dans ce rapport? Qui évacue, dans ce rapport, ce qui relève de la finitude humaine, de la séparation, de la défaillance, alors que cette « passion » de l'intime nous fait être-ensemble en même temps qu'elle nous met au monde? Difficile ici de ne pas évoquer Jean-Luc Nancy, pour comprendre ce que l'image peut manifester de l'événement d'un contact : « le soi s'expose, expose la passion inavouable de son clignotement d'être, entre naissance et mort ; l'image de soi ouvre sur un soi comme image, un soi qui défaille au contact de soi et des autres : sans cette passion nous aurions renoncé à ce qui, selon l'ordre d'une souveraineté et d'une intimité reculées dans la discrétion sans fond, nous met au monde. Car ce qui nous met au monde est aussi bien ce qui nous porte d'emblée aux extrêmes de la séparation, de la finitude, et de la rencontre infinie où chacun défaille au contact des autres (c'est-à-dire aussi bien de soi) et du monde comme monde des autres. Ce qui nous met au monde partage aussitôt le monde, le destitue de toute unité première ou dernière. » (Jean-Luc Nancy, *La communauté affrontée*, Paris, Éditions Galilée, coll. « La philosophie en effet », 2001, p. 47-48)

des options du film, face au tout qu'il évoque, en même temps que la cohérence poétique de sa proposition, qui travaille « avec » plutôt que « contre » cette fragilité :

> Je me contenterai de confier un sentiment : à voir le film une fois monté, à le revoir, je trouve, chaque fois davantage, que sa nécessité s'impose de façon d'autant plus indéniable et désormais irrécusable, inéluctable qu'elle libère, avec autant de force, l'évidence contraire : avec le même contenu, les mêmes matériaux, avec les mêmes éléments (les mêmes atomes, les mêmes lettres, les mêmes traits, dirait un Grec, les mêmes *stoikheia*), on aurait pu faire (écrire, monter) un tout autre film. Safaa Fathy est la première à le savoir. Elle a le génie ou la vertu de le donner à voir dans son film, à chaque instant[14].

122

Fig. 3. « Mémoire d'enfance », carrelage mal ajusté de la maison de Derrida, El Biar, Alger, janvier-février 1999 (avec l'aimable autorisation de Safaa Fathy et des Éditions Galilée).

LE DON À L'ŒUVRE

Importe ici le fait que Safaa Fathy se soit départie finalement de son œuvre, en la rendant *indécise*. Le film est moins une œuvre que la trace d'un rapport qui a conservé son caractère énigmatique d'événement toujours échappé de sa

14. Jacques Derrida, Safaa Fathy, *Tourner les mots*, p. 119.

narration. L'explication littéraire à laquelle s'adonnent Derrida et Fathy fait ainsi valoir des rapports de don inversés entre toutes les instances impliquées : si Derrida a « donné » des images en « aveugle », il lui faut recevoir celles de Safaa Fathy comme un don sans commune mesure avec son propre abandon ; de son côté, Safaa Fathy dit avoir fait plus que remplir un contrat de production documentaire, elle aurait conclu un pacte esthétique avec le public qui aurait re-donné l'initiative de la donation de sens au spectateur. L'un comme l'autre affirment finalement la primauté de l'expérience relationnelle sur le texte du film, pour accéder au sens d'un geste total, impliquant le regard dans toutes ses dimensions : donner, rendre et recevoir.

Ces quelques remarques ne sont pas sans évoquer les pages que Derrida a consacrées au don, dix ans plus tôt, dans *Donner le temps. 1. La fausse monnaie*[15]. Plus précisément ce passage où il croise le thème de l'impossibilité du don avec celui de l'écriture comme don. Jacques Derrida n'y parle pas d'expérience filmique. En revanche, son analyse d'un poème en prose de Baudelaire évoque la question de la relation de don à travers *l'indécidabilité de l'échange*. Du point de vue de la personne filmée, l'image documentaire est toujours la trace d'une compromission, d'une omission, d'une lacune, elle est le produit d'une relation qui trahit cette relation, qui en dissémine le sens. Mais c'est en tant que telle, qu'elle est le lieu et l'occasion d'un rapport de don. « Le don est détruit par son propre sens et sa propre phénoménalité[16]. » L'image est la trace de cette destruction. Mais à qui peut appartenir cette interprétation de l'image sinon à ceux qui furent engagés dans ce rapport ? Quelle perception peut bien en avoir le public ? La réception, qui fait de cette trace un texte déchiffrable, évacue-t-elle la relation pour le sens, et passe-t-elle forcément à côté du don et de son impossibilité dont l'image est le témoin improbable[17] ?

On remarque ici que cette perception de l'image est nettement tributaire d'un paratexte qui vient l'élucider. La perception de l'enjeu relationnel de l'image documentaire ne semble accessible au spectateur qu'à la condition qu'il sorte d'un rapport strict à l'œuvre, et que lui soient fournis d'autres moyens

---

15. Jacques Derrida, *Donner le temps. 1. La fausse monnaie*, Paris, Éditions Galilée, coll. « La philosophie en effet », 1991.

16. Jacques Derrida, *Donner le temps*, p. 28.

17. Improbable, parce que son insertion dans l'économie des rapports d'échanges annule le rapport de don. Mais l'image est — peut-être plus que le texte — assimilable au récit-événement : à cette narration qui relate moins un événement qu'elle crée l'évé-

Fig. 4. Jacques Derrida et Safaa Fathy lors du tournage de *D'ailleurs, Derrida* dans la synagogue de Santa Maria La Cruz (ancienne synagogue devenue église), février 1999 (avec l'aimable autorisation de Safaa Fathy).

de se rapporter à l'expérience filmique : c'est en général la fonction du paratexte promotionnel et critique, quand il n'est pas, comme dans le cas présent, de nature philosophique, et de la main même de la personne filmée. Reste que le recours à l'écriture, c'est-à-dire à une parole qui fait retour dans son espace-temps propre, sur cette histoire, sur la constitution de ce vécu comme histoire,

nement dont elle parle. En ce sens, l'expérience filmique est toujours dans l'image, l'image manifestant toujours ce qu'il advient d'une relation dans l'expérience du film. La narration ne relate pas un événement qui s'est produit, l'événement ne s'est produit que par la narration qui en est fait. « Comme si le récit produisait l'événement qu'il est supposé raconter. » (Jacques Derrida, *Donner le temps*, p. 155) Le fait de filmer l'autre est une « provocation » — comme chez Perrault —, filmer provoque l'événement qui sera relaté ; et l'événement de cette narration, affecte ceux qui s'y sont engagés ; le film arrive à la relation, la révèle et la persécute en même temps. Pour Derrida, le récit est la possibilité du don et du pardon : c'est dans le récit qu'un don ou un pardon peuvent avoir ou ne pas avoir lieu ; le récit est la possibilité de la trace de ce qui ne peut, pour avoir lieu, en avoir ; mais qui aussi, pour avoir lieu, en exige (puisque le don délie tout en engageant celui qui donne).

Fig. 5. Pierre Perrault lors du tournage de *La bête lumineuse* (photographe : Martin Leclerc, source : Cinémathèque québécoise, avec l'aimable autorisation de l'Office national du film du Canada).

semble nécessaire à l'aperception de l'enjeu relationnel de l'image. D'où ce livre, *Tourner les mots*, écrit à deux mains, qui n'a aucune autre nécessité que celle de coucher par écrit la bonne interprétation du film, le travail du sens dont le film se fait le prétexte.

Pierre Perrault, de son côté, en publiant le découpage commenté de ses films[18], n'avait pas d'autre souci, lui aussi, que de ramener le travail de sens de son film à l'expérience de tournage, nous faisant alors comprendre que le vécu dans « le cinéma » qu'il prônait, était tout autant celui qui se jouait pour la caméra que celui qui se jouait avec elle. Il a alors tenté d'inventer la grammaire de cette explication cinématographique de l'expérience, en instituant des rapports de *substitution* entre le cinéaste qu'il était et ses personnages. Substitution

18. Pierre Perrault, *La bête lumineuse*, Montréal, Éditions Nouvelle optique, 1982.

par délégation — avec tous ses personnages de médiateurs[19] —, ou par fictio-
nalisation — avec ses personnages autoproduits, pris en « flagrant délit de *légender* », comme l'a si justement vu Deleuze[20]. Il a alors créé une poétique propre
du devenir-autre, du passage en l'autre, pour tenter d'élucider, en multipliant
les gestes (écrits, cinématographiques, oraux), ce qui passe dans l'œuvre, et qui
ressort d'une *expérience commune*, la sienne et celle de ses acolytes, pour devenir cette singularité autonome et détachée des péripéties interpersonnelles[21].

L'IMPLICATION DU SPECTATEUR

Beaucoup de cinéastes documentaires ont compris l'importance du point de
vue de la personne filmée pour que soit saisie la portée de l'expérience filmique
au-delà de l'interprétation de l'œuvre et ont cherché et à l'introduire dans leur
film[22]. Il s'agit là d'un procédé permettant d'amener le spectateur à se percevoir
lui-même comme une personne filmée potentielle, c'est à lui finalement que
revient la tâche de restituer le sens de l'expérience relationnelle qui a fait le

19. Pierre Perrault décrit ainsi Stéphane-Albert Boulais dans le texte de présentation
du projet de film qui deviendra *Les voiles bas et en travers* (1983), et où il sera question
notamment de grands explorateurs et de pirates : « il a une mémoire fabuleuse, un bagout
génétique incomparable, une curiosité sans bornes et surtout une capacité d'aborder : un
vrai pirate de l'âme. Le révélateur en somme que je cherche. Je n'en dirai pas plus. Qu'il
suffise que je dise ma confiance qu'il s'agit du regard dont j'ai besoin. » (Cité dans
Stéphane-Albert Boulais, *Le cinéma vécu de l'intérieur*, p. 59)

20. « Il reste à l'auteur la possibilité de se donner des intercesseurs, c'est-à-dire de
prendre des personnages réels et non fictifs, mais en les mettant eux-mêmes en état de
fictionner, de légender, de fabuler. L'auteur fait un pas vers ses personnages, mais les
personnages font un pas vers l'auteur. » (Gilles Deleuze, *Cinéma 2. L'image-temps*, Paris,
Éditions de Minuit, coll. « Critique », 1985, p. 289)

21. On se souvient que la conservation des percepts, des affects, indépendamment
de ceux qui les perçoivent et les ressentent, est, pour Gilles Deleuze, le fondement du
geste artistique (voir Gilles Deleuze, *Qu'est-ce que la philosophie ?*, Paris, Éditions de
Minuit, coll. « Critique », 1991). Dans cette optique, ce qui circule entre les protagonistes
d'une expérience de tournage est un des principaux enjeux du documentaire : percepts
et affects particuliers s'effacent devant la question du rapport à l'autre, de la production
du commun à travers ce qui se partage dans ce collectif qu'est l'engagement documentaire, du point de vue de ses acteurs comme de ses exécutants.

22. L'exemple le plus fameux en est *Chronique d'un été* (1961), de Jean Rouch et
Edgar Morin. Le film est à la fois le prétexte d'un rapport d'amitié — Rouch et Morin
ayant réuni quelques amis pour les faire parler devant la caméra —, trahi, détourné par

film, mais que le film ne peut pas toujours livrer, étant destiné par ailleurs à faire un portrait, un reportage, un essai, un document, etc. C'est à lui de comprendre d'où vient le film, d'où cette pédagogie de l'image documentaire qui motive les cinéastes à prendre la plume au nom des personnes qu'ils filment[23], ou qui pousse directement les personnes filmées à expliciter leur apparition pour que le spectateur d'un documentaire comprenne le film *avec* ses potentialités avortées, ses possibilités ratées, ses omissions, ses oublis, ses échecs, mais aussi en conscience du coût — émotif et relationnel — de ses révélations et du hasard de ses réussites. Face à la complétude de l'œuvre, le point de vue de la personne filmée permet au spectateur de se rapporter à l'œuvre dans une expérience esthétique qui conteste le monde des images dans l'œuvre ; un monde qui n'en est pas un, qui ne vaut que par ses trous, ses incohérences, ses raccourcis, ses absences. Qui plus est, l'enjeu relationnel de l'image s'ouvre sur un enjeu communautaire, dès lors que la réception ne se limite plus à une œuvre autonome, mais se rapporte à *une série* qui établit une pluralité de connections entre des événements et des personnages, tout en préservant le partage radical des histoires singulières qui se croisent devant la caméra, l'incommensurabilité des moments qu'elle enregistre, l'indissociabilité des événements de leur rendu filmique. C'est pourquoi Pierre Perrault avait misé à la fois sur la continuité, l'histoire et la mémoire du lien *de film en film* en privilégiant les séries et les cycles[24], tout comme le choc, l'improbable des rencontres entre les différents protagonistes de ses films[25]. C'est n'est donc pas tant un miroir qu'il tendait au Québécois, qu'un art de faire lien qui puisse exacerber leur désir de communauté.

127

le projet de film. Les commentaires des amis des cinéastes après le visionnement du film sont la trace de cette trahison et de ce détournement ; ce sont cette trahison et ce détournement de la relation d'amitié qui permettent le retour à l'expérience filmique comme telle ; mais les deux compères vont finalement analyser ce retour en « sociologues » de la communication. Or, la perception de cette expérience n'est pas uniquement de l'ordre du discours scientifique et métafilmique — ce n'est ici que le choix des cinéastes. Une toute autre perception est possible.

    23. Comme le fait à son tour Jean-Daniel Lafond, imitant le geste de Perrault, pour le film qu'il lui consacre. La transcription de la continuité dialoguée des *Traces du rêve* (1986), agrémentée des réflexions du cinéaste, paraît peu de temps après le film : Jean-Daniel Lafond, *Les traces du rêve*, Montréal, Éditions de l'Hexagone, 1988.

    24. *Au pays de Neufve-France* (treize documents d'une trentaine de minutes dont Perrault a signé les scénarios et textes, réalisés entre 1958-1959), la *Trilogie de l'Île-aux-Coudres* (1963-1968), le *Cycle abitibien* (1975-1979), etc.

L'expérience relationnelle filmeur-filmé, qui excède toujours plus ou moins les rapports conventionnels propres à l'activité professionnelle de l'un, et aux intérêts bien compris de l'autre, ne manque pas enfin d'interpeller un spectateur qui se trouve lui-même pris dans un système de rapports sociaux où il ne trouve pas forcément son compte. C'est le sentiment de Frédéric Sabouraud, quand il interroge la pratique documentaire du point de vue de son écho social comme pratique artistique spécifique. La fabrique d'images avec d'autres, où cinéastes, personnes filmées et spectateurs échangent, à l'occasion d'un film, leur statut, leur sensation, leur rôle et leur motivation, « entre en résonance avec une réflexion plus vaste qui se pose aujourd'hui autour de la place même de l'artiste[26] ». Et Frédéric Sabouraud de poursuivre, à partir de son expérience d'enseignement du cinéma en ateliers pratiques :

> Place [NDR : de l'artiste] en crise également [NDR : comme l'est celle du maître-enseignant], dont certains tentent de nier les effets en se repliant dans le travers autrefois dénoncé par Walter Benjamin de l'art pour l'art. D'autres préfèrent affronter cette nouvelle donne, nouvelle manière de jouer de son pouvoir vis-à-vis du spectateur, nouvelle façon de l'expliquer, de tisser des liens entre lui et les personnages — qui n'est ni plus ni moins que l'écho du lien plus lâche qui relie désormais l'être au monde : nouvelle croyance sans religion, spiritualité sans dieu fondée sur une plus grande solitude existentielle de chacun. Ces cinéastes, souvent des documentaristes, y parviennent en s'aventurant dans des terres plus définies et romanesques, quand le rapport entre le filmeur et le filmé se redessine dans une relation où la maîtrise selon des codes préétablis n'est plus la règle, où le spectateur lui-même fait acte de mise en scène dans le travail d'interprétation qu'on lui propose[27].

25. À titre d'exemple, Stéphane-Albert Boulais rencontre Maurice Chaillot dans *La bête lumineuse*, un des principaux protagonistes d'*Un pays sans bon sens* (Pierre Perrault, 1970), et que l'on retrouve dans *Le confort et l'indifférence* (Denys Arcand, 1981) et *Les traces du rêve* (Jean-Daniel Lafond, 1986) ; Léopold Tremblay, héros de la pêche dans *Pour la suite du monde* (Pierre Perrault, 1962), apparaît aussi dans *Un pays sans bon sens* et dans *La grande Allure* (Pierre Perrault, 1985) où il rencontre Basile Bellefleur, protagoniste du *Goût de la farine* (1977) et du *Pays de la terre sans arbre ou le Mouchoânipi* (Pierre Perrault, 1980) ; il rencontre aussi Stéphane-Albert Boulais dans *Les voiles bas et en travers* (Pierre Perrault, 1983).

26. Frédéric Sabouraud, « À l'école du cinéma », *L'image, le monde*, n° 3, automne 2002, p. 74.

27. Frédéric Sabouraud, « À l'école du cinéma », p. 74.

Reste que Frédéric Sabouraud passe un peu vite sur cette relation entre filmeur et filmé. Dans un autre texte, il précisera sa pensée et parlera d'une redéfinition du lien — ou filiation — entre les trois instances concernées : entre le cinéaste et son personnage — ce n'est plus la figure du père, figure de l'autorité, du maître des lieux, qui s'impose ; entre le spectateur et le personnage, ce n'est plus un lien de reconnaissance et d'identification, de projection dans la réalité du personnage qui agit. Sabouraud citera en exemple la pratique documentaire consistant à revenir sur la relation filmeur-filmé pour en faire l'objet du film, ou d'un autre film. Revenir, c'est pour lui

> donner à l'autre filmé un statut différent, plus complice, sorte de co-réalisateur du film. Se joue ainsi de manière synchrone une double réécriture : celle du rapport filmeur/filmé et celle de la relation spectateur/film. Et, à cet endroit, se définit un autre lien au monde pour le spectateur où la figure du guide (le cinéaste), se déplace, se relativise, laissant aux autres (spectateurs et filmés), une place plus grande. Ainsi, à cet endroit, assistons-nous à une redéfinition, au travers du cinéma, d'une filiation non plus du haut vers le bas, mais côte à côte, proposant une nouvelle déclinaison plus en phase avec la réalité du rapport à l'autre ; lieu d'apprentissage et d'initiation plus moderne, moins rigide, moins figé, à même de se mettre en phase avec la réalité actuelle[28].

129

Le problème est que Sabouraud « refuse de théoriser » ce lien, en tout bon spectateur qu'il est[29]. Cette théorisation peut pourtant se tenter avec les instruments d'analyse de la sociologie du don. Sociologie du don, parce que justement il convient de revenir sur les conditions non seulement d'un rapport de don entre filmeur-filmé, mais aussi sur les conditions de la perception d'un tel rapport par le spectateur.

28. Frédéric Sabouraud, « En chemin », *Catalogue du festival de Lussas*, Lussas, Ardèche images, 2003, p. 36.

29. « Comme si le cinéma avait inventé, sans tout à fait le savoir, un autre système (parallèle à la psychanalyse et à la philosophie), pour "trouver sa place" et mieux comprendre sa relation à l'autre. Un système que le spectateur se refuserait à théoriser de peur d'en perdre le fil, de ne plus trouver le chemin, de rompre le charme. » (Frédéric Sabouraud, « En chemin », p. 36)

L'ÉPREUVE DU DON

> L'événement et le don, l'événement comme don, le don comme événement doi-
> vent être irruptifs, immotivés — par exemple désintéressés. Décisifs, ils doivent
> déchirer la trame, interrompre le continuum d'un récit que pourtant ils appellent,
> ils doivent perturber l'ordre des causalités : en un instant. Ils doivent, en un seul
> coup, mettre en rapport la chance, le hasard, l'aléa, la *tukhè*[30], avec la liberté du
> coup de dé, avec le coup de don du donateur ou de la donatrice. Le don et
> l'événement n'obéissent à rien, sinon à des principes de désordre, c'est-à-dire des
> principes sans principe[31].

Mais attention, des effets de pur hasard, précise Derrida, ne formeront jamais
un don, car qui dit don, dit intention de donner. Mais qui dit intention de
donner, dit possibilité d'annulation du don — qui se (re)garde comme don, et
devient calcul. La place du hasard dans le don sort le don du « calcul intention-
nel de donner », fait jaillir le don comme pure spontanéité. D'un point de vue
scénaristique, donc, pas de mise en situation, mais une épreuve de l'aptitude
éthique au moyen du film en train de se faire. Or, il arrive que le documentaire
ne filme aucun événement relationnel ; que la pratique documentaire se dé-
roule en sa marge, le rate, l'inhibe même. Il n'y a eu que des transactions, de
l'échange, de l'économique. Mais l'événement n'est pas ce qui arrive devant la
caméra, ni avec la caméra ; l'événement est le devenir dans et par le film ; le
film est ce qui arrive à la relation ; cette relation affectée par le film est à son
tour ce qui affecte le spectateur, ce qui affecte son rapport au film, à son auteur
et à ses personnages. Dans le régime communautaire, le film — en tant qu'expérience — est capable de sortir la relation entre filmeur et filmé du cadre
habituel des rapports de production ou de service. Le rapport de don affecte à
son tour la relation au film, qui n'est plus un rapport à l'artefact ou à l'œuvre.
Comment comprendre une telle puissance d'affection du rapport de don, comment saisir cette « conversion du regard » qui transforme le spectateur et qu'évoque Sabouraud à la suite de Deleuze ?

Godbout suppose, dans les sociétés modernes, une recherche spécifique
tournée vers une forme de socialité qui valorise le lien en lui-même, plutôt que
sa fonction, qui désinstrumentalise le rapport à l'autre, recherche à laquelle
participe la pratique documentaire, en offrant à des « étrangers », une expé-

---

30. Concept aristotélicien qui désigne la chance par rapport à une finalité humaine,
par opposition à *automaton*, qui désigne le hasard en général.

31. Jacques Derrida, *Donner le temps*, p. 157.

rience relationnelle de proximité, une filiation « côte à côte », comme le dit Sabouraud, qui n'est pas sans rappeler celle de l'amitié ou de l'amour. On a vu que l'essor de l'industrie audiovisuelle tendait à régler le rapport entre cinéaste, personne filmée et spectateur selon le modèle juridique de la société marchande (droit du travail, règle du marché, droit de la personne). Or, un autre modèle peut être évoqué ici : celui du don[32].

L'enjeu de la pratique documentaire serait donc le devenir-image d'une expérience relationnelle distincte des formes de socialités fonctionnelles de nos sociétés modernes. Les images existent hors de leurs enjeux économiques, discursifs, juridiques ou affectifs, ce sont les médiations d'un rapport de don où importe moins la nature de ce qui circule que le sens de l'acte. Ce qui se donne de part et d'autre du procès documentaire est inquantifiable et incommensurable ; pas de commune mesure entre le temps et la confiance que donne la personne filmée, le récit et le plaisir que donne le cinéaste, l'écoute et la reconnaissance que donne le spectateur. Pas de relation ordonnée non plus, puisque le cinéaste peut aussi bien donner sa reconnaissance[33] à la personne filmée, la personne filmée du plaisir au spectateur, le spectateur sa confiance au cinéaste. Et ce rapport de don peut être à tout moment perverti, offusqué, trahi. C'est ainsi que le cinéaste peut exploiter l'image, en faire un enjeu commercial (son produit), ou partie de son discours (son regard) ; que le spectateur

32. Antoine Hénaff, dans *Le prix de la vérité. Le don, l'argent et la philosophie*, Paris, Éditions du Seuil, 2002, distingue pour sa part : (1) le don qui ressort de l'échange de biens et équivaut au troc ; (2) la grâce, don divin que le donataire est dans l'impossibilité de rendre ; (3) le don cérémoniel en tant qu'acte de reconnaissance de l'autre ; (4) le don charitable qui n'engage que l'individu et n'a pas de fonction sociale. Dans la relation documentaire, le système de don est hybride : il y a une forme d'échange — le bénéfice symbolique ou économique lié à la fabrication et au commerce de l'image ; le caractère « public » d'une relation interindividuelle — et donc sa portée sociale, le caractère cérémoniel du rapport — mais sans les formes ritualisées — qui permet la reconnaissance de l'autre par la production d'un film ; la grâce d'une relation qui conserve, dans le récit, l'énigme du don comme événement impossible ou du moins indécidable.

33. À propos de *La bête lumineuse* qu'il vient de tourner, Pierre Perrault confie : « Je ne parviens pas à inscrire ce film dans la logique apparente de mes démarches antérieures. Et il me semble indispensable, improbable, impossible qu'il se renouvelle. Il existe comme un don. Je le propose à mon propre étonnement. Inattendu comme une pêche miraculeuse. » (Pierre Perrault, *Caméramages*, Montréal, Éditions de l'Hexagone, Paris, Éditions Édilig, 1983, p. 115)

Fig. 6. Bernard l'Heureux et Stéphane-Albert Boulais dans *La bête lumineuse* (source : Cinémathèque québécoise, avec l'aimable autorisation de l'Office national du film du Canada).

refuse de recevoir la parole de la personne filmée, que la personne filmée revendique le récit de sa propre histoire. Et sous ce couvert, le film documentaire peut se présenter comme une épreuve du don dans des rapports de production, d'échanges et de communication qui semblent pourtant l'exclure.

FILMER : UN ENJEU DE RECONNAISSANCE ENTRE TROIS INSTANCES

Jacques T. Godbout analyse le don non pas comme un geste isolé, mais comme l'instauration d'une relation valant pour elle-même, et donc, comme un geste investi de sens par les acteurs du don[34]. Pour Godbout, si la valorisation de la relation aux autres passe par le don, c'est que la production de sens et de valeur

34. Le problème de Godbout sera de définir le sens et la portée sociale du geste du don, contre les théories classiques du don issues de l'anthropologie, et notamment celle du *potlatch*, qui aurait tendance à occulter le sens du don derrière l'écran d'un rapport de pouvoir qui l'instrumentalise. On verra à ce propos Marcel Mauss, « Essai sur le don. Forme et raison de l'échange dans les sociétés archaïques » [1923-1924], dans *Sociologie et anthropologie*, Presses Universitaires de France, Paris, coll. « Quadrige », 1973 [1950], p. 143-279.

nécessite que l'on sorte des règles institutionnalisées qui régissent les transactions habituelles dans les rapports aux autres. Les liens contractuels permettent une plus grande liberté d'action et le domaine public instaure un principe de justice. Mais la relation à l'autre est alors bornée par l'échange ponctuel qui en est l'occasion. Le don, quant à lui, instaure un lien qui perdure au-delà du don. Cette persistance du lien, cette valorisation du lien pour lui-même serait pour Godbout la motivation du don.

> Le vrai don est celui dont le sens est de ne pas se conformer à une convention sociale ou à une règle, mais d'exprimer le lien avec la personne [...]. Le donateur diminue l'obligation de rendre et en conséquence rend l'autre libre de donner à son tour [...]. On donne ainsi au receveur la possibilité de faire un vrai don au lieu de se conformer à l'obligation de rendre. [...] On constate ainsi que les acteurs du don introduisent volontairement et en permanence une incertitude, une indétermination, un risque dans l'apparition du contre-don. Afin de s'éloigner le plus possible du contrat, de l'engagement contractuel (marchand ou social) et aussi de la règle du devoir — en fait de toute règle universelle[35].

133

Le don a aussi ses règles — de mesure, d'opportunité, d'occasion et ces règles doivent être transgressées pour donner une valeur communautaire au geste. La prise de risque est de première importance.

> La signification de ce jeu avec les règles est multidimensionnelle, mais un aspect est omniprésent : le jeu avec la règle sert à personnaliser la relation, à rendre unique le lien entre le donateur et le donataire, à montrer que le geste n'est pas fait pour obéir à une règle, mais pour lui, au nom d'un lien personnel[36].

Tout cela aboutit à installer un régime de « dette positive[37] » entre les membres du réseau de don, soit un rapport *à la communauté*, à partir des relations interpersonnelles intensifiées par le rapport de don. La dette positive marque en effet un sentiment de *reconnaissance* — du donataire — qui ne se traduit pas en obligation de rendre directement au donateur — qui a tout fait pour suspendre cette obligation —, mais se traduit en désir de donner à son tour *à d'autres*. La communauté relèverait donc d'un désir, plus que d'une obéissance à des règles instituées, et s'enracinerait dans la valorisation du lien

---

35. Jaques T. Godbout, *Le don, la dette et l'identité*, p. 159.

36. Jaques T. Godbout, *Le don, la dette et l'identité*, p. 38.

37. « Les personnes interrogées identifient une dette positive, celle qui n'est pas vécue comme une dette (à rembourser), mais comme une reconnaissance : on reconnaît avoir reçu beaucoup sans pour autant ressentir une obligation, mais plutôt un désir de donner. » (Jaques T. Godbout, *Le don, la dette et l'identité*, p. 45)

à l'autre en tant qu'individu libre, plus que dans l'idée d'une commune appartenance. Ainsi, au lieu de vouloir reconstruire la société sur la base d'individus libres de toute dette (perspective de l'individualisme), on comprend la communauté à partir d'une dette positive, contractée dans des relations interpersonnelles de don, puis tournée vers les autres, dans un désir de donner qui répond à l'impossibilité, ou tout simplement à l'incongruité, du remboursement. *Une communauté de donneurs*, c'est ce que rend possible l'état de dette positive créé par le système de dons ; une communauté d'individus libres vis-à-vis de la communauté, qui ne rendent jamais ce qu'ils doivent à leurs donateurs, mais qui donnent aux autres en vertu de cette dette « inacquittable ».

> On pourrait définir le don comme un système dans lequel le « rendre » se dissout comme principe au point que, à la limite, on ne rend plus, on donne seulement — ou au contraire, on est toujours en train de rendre, l'important étant ici que la différence entre rendre et donner s'estompe et n'est plus significative. On pourrait poser que l'état de dette positive émerge lorsque le receveur, au lieu de rendre, commence à donner à son tour. On passe de l'obligation de rendre au désir de donner[38].

Cet état de dette positive implique donc la communauté, comme milieu relationnel, et non comme tout constitué avec lequel on établit des *liens*. En se sens, on n'est pas lié à la communauté par une dette. C'est l'idée de « réciprocité généralisée ». Bien sûr, ce n'est pas le seul modèle du don, nous rappelle Godbout, qui évoque les multiples principes qui régulent le geste de donner. Mais c'est celui qui, débouchant sur l'idée de dette positive, fait surgir la question de la communauté, du côté du désir plutôt que du côté de l'obligation, et dans un rapport de création — on cherche à donner sens et valeur à une relation, par la prise de risque, l'excès et la liberté[39] — plutôt que

38. Jaques T. Godbout, *Le don, la dette et l'identité*, p. 48.

39. « L'acteur stratégique vise à réduire les incertitudes afin de gagner. Le rapport de don est différent. L'acteur y vise non pas à limiter la liberté des autres, mais à l'accroître, car elle constitue un préalable incontournable à la valorisation de son geste. Nous disons qu'il tend à accroître l'incertitude parce qu'il tend à réduire en permanence chez l'autre tout sentiment d'obligation, même si les obligations sont toujours présentes par ailleurs : il tend à s'y soustraire, d'où la propension à l'excès. [...] L'acteur d'un système de don tend à maintenir le système dans un état d'incertitude structurelle pour permettre à la confiance de se manifester. [...] Il faut que se produise quelque chose de non prévu dans ce qui est obligatoire, ou alors que l'obligation ne soit pas vécue comme une contrainte et existe seulement comme une loi constatée par le chercheur, une loi au strict sens statistique non au sens moral. » (Jaques T. Godbout, *Le don, la dette et l'identité*, p. 39-40)

d'instrumentalisation — on cherche à se satisfaire et se sécuriser par elle. Sur cette base théorique, on pourrait donc décrire une expérience de réception, où la reconnaissance qu'éprouve le spectateur n'est pas liée au seul plaisir qu'il a reçu de l'œuvre en tant qu'œuvre, mais à son désir de perpétuer du lien *à son tour*. L'implication du spectateur dans la relation documentaire — comme donataire du récit — est alors de première importance pour comprendre comment le récit audiovisuel ouvre sur la socialité du don.

Reste que cette expérience esthétique doit se soutenir d'une *praxis* sociale[40] où la question de la communauté n'est pas réglée d'avance par les rites et les institutions, où elle s'invente et s'élabore sur l'épreuve de sa fragilité[41]. Au Québec, au tournant des années 1960, l'effondrement des anciens repères sociaux a permis l'éclosion d'un cinéma travaillé par la question communautaire, tant du point de vue de ses modes de production que de ses modes de réception. La relation communautaire à travers une pratique documentaire conçue comme une véritable *praxis* sociale est une des caractéristiques majeures de la production francophone de l'ONF. Cet aspect de la question ne saurait être traité ici[42], je me contente de l'évoquer pour souligner l'importance de la socialité dans la pratique et la réception documentaire. Et ce n'est pas un hasard si j'ai

40. Cornélius Castoriadis, *L'institution imaginaire de la société*, Paris, Éditions du Seuil, coll. « Points essais », 2002 [1975], p. 113-114. Castoriadis définit la *praxis* comme une expérience ayant pour but la transformation du donné. C'est en tant que cette transformation a lieu qu'une connaissance émerge. Le sujet de la *praxis* est lui même constamment transformé à partir de cette expérience où il est engagé.

41. François Paré, dans *Les littératures de l'exiguïté* (Ottawa, Éditions Le Nordir, 2001), parle d'une culture propre aux groupes minoritaires ou minorés qui se traduit par une conscience aiguë, inapaisée, inconsolable de la disparition de toute chose, des êtres, des œuvres et des communautés. Paré se tourne vers ce qu'il appelle une « littérature de l'inquiétude », et cherche à établir les bases d'une « lecture stratégique du vulnérable », qui est aussi un acte de solidarité de la part du lecteur. Un vulnérable qu'il caractérise comme : (1) renoncement à la vérité ; (2) renoncement à soi-même (impossible saisie de l'unité subjective) ; (3) discours douloureux sur la disparition de l'être : (4) travail stylistique sur la négativité. Paré, en tenant compte des modes spécifiques d'exercice de la littérature et de réception de celle-ci — notamment dans la performance orale, parvient à briser *l'autonomie du texte*, à *solidariser* modes d'être et de discours dans ce beau concept de vulnérabilité. Cette idée de solidarité se comprend en effet à la croisée d'une pratique et d'une réception qui n'est plus le problème de l'auteur seul, mais déjà un partage d'inquiétude, de création et de responsabilité.

42. C'est en fait l'objet de ma thèse de doctorat : « Le documentaire québécois à l'épreuve de la communauté ».

évoqué les travaux de Jacques T. Godbout pour effectuer un rapprochement entre don, relation documentaire et rapport social, puisqu'il s'agit d'un sociologue québécois, bien au fait des enjeux de la socialité québécoise — tels qu'ils se retrouvent aussi dans le développement de l'économie sociale[43], la culture populaire[44], le rapport collectif aux arts et aux artistes[45] et le rôle des médias de communications[46].

43. À ce sujet, voir notamment les travaux de la *Chaire de recherche en développement communautaire* et du *Laboratoire de recherche sur les pratiques et les politiques sociales*, plus particulièrement les écrits d'Yves Vaillancourt, Benoît Levesque et Louis Favreau (voir Omer Chouinard, André Joyal, Benoît Levesque (dir.), *L'autre économie : une économie alternative ?*, Sillery, Presses de l'Université du Québec, coll. « Études d'économie politique », 1989 ; Yves Vaillancourt, Benoît Levesque, « Les services de proximité au Québec : de l'expérimentation à l'institutionnalisation », *Cahiers de la chaire de recherche en développement communautaire (CRDC)*, série recherche, n° 12, novembre 1998 ; Yvan Comeau, Louis Favreau, « L'expérience de développement économique communautaire en milieu urbain au Québec », *Les politiques sociales* (Belgique), vol. 57, n° 2, 1998, p. 60-71).

44. À ce sujet, voir notamment les travaux initiés par Fernand Dumont (dir.), *Les cultures parallèles*, Ottawa, Éditions Leméac, 1982 ; voir aussi le collectif *Cultures populaires et société contemporaine*, Gilles Pronovost (dir.), Montréal, Presses de l'Université du Québec, 1982, et notamment l'article de Roger Levasseur, « La culture populaire au Québec, de la survivance à l'affirmation », p. 103-115. Levasseur y oppose la culture de masse — d'importation américaine — et la culture savante autochtone — d'importation française par la formation des élites —, à la culture populaire, « fondée sur les solidarités familiales et communautaires » (p. 106). Il note que « le faire ensemble et le voir ensemble l'emportent nettement chez les classes populaires sur la valeur intrinsèque des activités » (p. 108).

45. À ce sujet, j'évoquerai le schème de l'oralité dans le rapport d'écoute, schème fort bien décrit par François Paré, à propos du récital de poésie ou de chant, et dont on retrouve trace dans la réception du film documentaire comme performance — où le *lien dans l'écoute* importe tout autant que le texte. François Paré parle de l'« évidence communautaire de la voix » (François Paré, *Les littératures de l'exiguïté*, p. 42), quand il évoque les récitals et tours de chants qui assurent à la poésie une survivance que les textes seuls ne sauraient lui offrir. Sur le rapport entre oralité, lien, mémoire collective et écoute, je renverrai aussi le lecteur au texte de Johanne Villeneuve, paru dans le numéro « Raconter » de la revue *Intermédialités*. Johanne Villeneuve évoque un modèle de l'oralité dans la transmission d'un savoir de génération en génération, par lequel « il n'y a plus de traces purement matérielles de ce qui n'est plus, mais le lien vivant de ceux qui sont venus après. » (Johanne Villeneuve, « La symphonie-histoire d'Alfred Schnittke : intermédialité, cinéma, musique », *Intermédialités*, n° 2, « Raconter », automne 2003, p. 29)

46. À ce sujet, j'évoquerai le rôle prééminent de *la situation d'interlocution directe créée par le média*. Les travaux sur la réception qui mettent en valeur l'aspect relationnel

MÉDIATION AUDIOVISUELLE ET SOCIALITÉ DU DON

Il est alors loisible de tirer de cette étude quelques conclusions intéressantes sur l'expérience relationnelle du documentaire et sa portée sociale. On a vu que la pratique documentaire, en tant qu'activité d'échanges et de production, est susceptible d'être encadrée par les règles du marché et de l'État de droit. Mais cet encadrement serait purement fonctionnel; et une pratique documentaire qui laisserait son expérience relationnelle se dérouler à l'intérieur de ce seul cadre ne comporterait aucun enjeu relationnel susceptible de toucher le spectateur; elle ne pourrait engendrer au mieux qu'un discours sur le lien, et non une sensibilité relationnelle. Mais quand le rapport filmeur-filmé se décline sur le mode du don, chacun donnant pour affirmer la valeur du lien dont le documentaire portera trace des risques, des excès, des impossibilités, ou chacun donnant malgré lui, pris dans un rapport insoupçonnable et impossible qui fait exister un tout autre film dans les absences du film réalisé, alors le film se constitue lui-même comme médiation collective, le rapport interpersonnel d'origine se transforme en réseau de connivences, en attache communautaire par l'inclusion du spectateur, qui se rapporte à cette expérience grâce à son propre actif de donateur et donataire, et qui, *reconnaissant le don, est porté à vouloir donner à son tour.* La multiplication de ces rapports de don dans la pratique documentaire renforcerait une socialité alternative reposant non pas sur l'*homo œconomicus*, mais sur un «*homo donator*» que Jacques T. Godbout définit comme celui qui ne saurait survivre à la vie sans faire du lien aux autres, une source effective de sens et de valeur commune. Grâce au documentaire, l'étranger devient familier, le rapport interpersonnel se met en réseau ; filmeur, filmé et spectateur tentent de découvrir une voie de réenchantement du monde, par

137

du contrat télévisuel, mettent en lumière la stratégie des médias consistant à proposer des figures communautaires qui ont besoin de médiateur, en l'occurrence les médias eux-mêmes. Voir François Jost, *La télévision du quotidien : entre réalité et fiction*, Bruxelles, Institut national de l'audiovisuel, De Boeck Université, coll. «Médias-recherches — Méthodes», 2001. La praxis documentaire relève d'une autre dynamique, puisque la communauté en question est moins celle du public que celle créé par une pratique et une «écoute», une attention particulière au lien qui se crée — ou pas — et se noue — ou pas — par la médiation audiovisuelle. Il n'y a pas projection du spectateur dans une figure communautaire et des rapports réglés par l'intervention du média, mais déchiffrement des rapports humains, et de leur sens, dans une économie générale qui fait coexister plusieurs régimes de rapports sociaux, professionnels, affectifs, juridiques, politiques, etc.

la vertu d'un lien qui se construit hors de toute règle, hiérarchique, contractuelle, et de toute obligation, sociale ou morale. Si on peut parler de portée sociale du documentaire, ce serait peut-être en référence à la manière dont une socialité de type communautaire s'inscrit au cœur même de sa pratique et induit une esthétique qui nie l'évidence de l'image, en efface la consistance devant les enjeux de la médiation collective qui se jouent dès la relation filmeur-filmé : l'image n'est plus la représentation du lien, mais l'occasion de sa production. Utopie d'une communauté d'amis, qui n'en finit pas de faire l'épreuve de son lien, pour agir, penser et vivre, en élargissant, autant que faire se peut, le cercle des proches.

Le rapport de don tel que le décrit Jacques T. Godbout introduit une sensibilité commune au lien qui permet de décrire une forme de réception du documentaire spécifiquement déterminée par l'enjeu relationnel de sa pratique. Cette réception se distingue de celle que décrit Hans Robert Jauss : elle n'a pas d'horizon d'attente, et ne repose pas sur l'existence de modèles littéraires et de normes sociales à reproduire ou transgresser ; elle ne relève pas non plus d'une seule évaluation discursive ou esthétique. Ce n'est pas uniquement l'argumentaire qui est en jeu, ni même la reconnaissance des qualités distinctives du film quant au type de plaisir qu'il procure ; les communautés de réception ne sont pas non plus déterminantes dans ce régime de perception communautaire : peu importe que l'on appartienne à tel(le) sexe, classe, race, minorité. On reçoit le film sur le fond de son expérience, où dans le commerce avec l'autre, il arrive que l'on prenne le risque de la relation, plutôt que l'assurance de la transaction (symbolique, affective ou commerciale). Ce régime communautaire en appelle à une sensibilité commune à la tâche d'être-ensemble, qui révèle que

> [L'être-en-commun est] partage d'une charge, d'un devoir ou d'une tâche, et non la communauté d'une substance. L'être-en-commun est défini et constitué par une charge, et en dernière analyse, il n'est en charge de rien d'autres que du *cum* lui-même. Nous sommes en charge de notre *avec*, c'est-à-dire de *nous*[47].

La pratique documentaire se justifierait comme révélation de cette charge, au cinéaste comme au spectateur, à travers la personne filmée et ce que sa présence dans le film, son abandon plus ou moins consenti à une expérience

47. Jean-Luc Nancy, « *Conloquium* » [1999], dans Roberto Esposito, *Communitas. Origine et destin de la communauté*, précédé de « *Conloquium* », Paris, Presses Universitaires de France, coll. « Les essais du Collège international de philosophie », 2000, p. 8.

relationnelle indécidable, peut bien pouvoir signifier. Il n'est pas question de valeurs partagées comme signes d'appartenance au même groupe ; rien qui ne se donne entre amis — et entre amis seulement — ; mais une reconnaissance au triple sens du mot : reconnaissance envers l'autre — qui a pris part au film ou l'a produit —, reconnaissance de l'autre en tant qu'autre — à travers sa mise en images —, reconnaissance des signes — des indices d'une relation de don. Cette mise en éveil qui touche toutes les instances — filmeur, filmé, spectateur — est aussi une mise en réseau, où l'image documentaire a pour fonction d'ouvrir sur la collectivité une relation d'approche et de reconnaissance vécue intimement entre des personnes engagées à titre individuel[48]. C'est aussi ce qui répond à l'inquiétude au cœur d'un nouveau type de rapport social qui s'affranchit des rites et des institutions de *reconnaissance mutuelle*, mais qui tourne court hors des cercles de proches. Une inquiétude qui porte sur la *reconnaissance* elle-même, et qui voit dans *le don et le récit* — le récit comme don —, une manière de se formuler — comme inquiétude — et de se reconduire — comme reconnaissance. De ce point de vue, le régime communautaire, qui repose et initie une socialité du don à travers la pratique filmique, n'est pas réductible à un contenu ou une pratique de tournage. Le film est le moment et la trace d'un don et d'un abandon où l'image, en tant que donnée, importe moins qu'en tant que chiffre d'un acte qui atteste du lien à l'autre.

« Il faut d'abord éprouver l'effet violent d'un signe, et que la pensée soit comme forcée de chercher le sens d'un signe[49]. » L'interprétation des signes dans l'image documentaire est autant l'affaire du cinéaste, qui rend son expérience, que du spectateur, qui la reçoit, et du personnage filmé qui se voit à l'écran, pris dans le système de signes d'un autre[50], qui, lui, doit conquérir une

48. Comme en témoignent dans cet article Stéphane-Albert Boulais et Jacques Derrida du point de vue des personnes filmées, Pierre Perrault du point de vue du cinéaste et Frédéric Sabouraud du point de vue du spectateur. En ce sens, le régime communautaire s'appuie sur des rapports personnels plutôt que sur des rapports inscrits d'avance dans la sphère publique. La communauté — comme socialité du don — n'est pas ce qui rattache spectateurs, personnes filmées et cinéastes au film. Elle se concrétise dans une pratique filmique et une réception qui se situent hors des circuits de la participation sociale à proprement parler (débat public, engagement militant, participation associative), dont le documentaire peut aussi, par ailleurs, se faire le relais à l'occasion.

49. Gilles Deleuze, *Proust et les signes*, Paris, Presses Universitaires de France, 1996 [1964], p. 32.

50. Stéphane-Albert Boulais exprime ainsi la douleur de se voir à l'écran : « L'épreuve

extériorité pour être capable de retourner au film et d'y lire ce qui s'y joue au-delà de sa propre image[51]. Le régime communautaire n'est pas du cinéma direct ou du cinéma vécu du seul point de vue de son contenu — une expérience authentique partagée et narrée par le cinéaste — ou de sa technique — des images prises sur le vif. Le régime communautaire implique une certaine forme de « déchiffrement » qui constitue une épreuve pour le spectateur « intérieur à la relation » — la personne filmée et le cinéaste —, mais aussi pour le spectateur « extérieur » qui, lui, doit abolir la distance créée par l'image, et accéder *au lieu de sa propre implication* dans la relation qui se joue à l'écran. Cette expérience esthétique fait donc l'économie du rapport à l'œuvre, ou plutôt du rapport à l'œuvre en tant qu'œuvre. La « reconnaissance » qui se joue dans l'épreuve du lien à travers la fabrication du film et sa réception, ne consiste pas non plus en un *jugement moral* sur la valeur de ce lien en particulier ou du lien à autrui en général. La reconnaissance est plutôt le produit de la médiation audiovisuelle, en tant que cette médiation rend extrêmement *sensible* et *critique* une manière de se tenir devant l'autre et avec lui, que l'on filme, soit filmé ou simple spectateur.

---

de l'écran est la même pour tout le monde, nous y sommes tous transformés en signes. Nous devenons les sens que le maître d'œuvre veut bien construire. » (Stéphane-Albert Boulais, *Le cinéma vécu de l'intérieur*, p. 39) La rupture relationnelle est mise sur le compte de l'art ou plutôt de la volonté de faire œuvre et de la concurrence de deux désirs : celui de Stéphane-Albert Boulais et celui de Pierre Perrault, qui reste finalement le seul maître de l'entreprise. Ce malaise est aussi celui du spectateur, qui soupçonne alors une manipulation qui déshonore son auteur plutôt que sa victime, comme en témoigne la réception contrastée de *La bête lumineuse*.

51. En ce sens, le témoignage de Stéphane-Albert Boulais et celui de Jacques Derrida se correspondent.

Liberté de l'amour

JEAN-LUC NANCY

C e titre doit se comprendre de deux manières simultanées : tout d'abord il désigne la liberté propre ou spécifique qui appartient à l'amour, mais en même temps il doit indiquer, comme par l'effet d'un double point invisible après « liberté », que la liberté n'est pas autre chose que la chose même de l'amour et que l'une et l'autre s'entr'appartiennent de manière essentielle.

Au reste, il serait également possible de partir de l'énoncé inverse : « amour de la liberté ». On constaterait alors que l'inversion révèle aussitôt une propriété symétrique de la première : si l'amour n'est pas concevable sans liberté, si l'on a coutume de dire « libre comme l'amour », la liberté de son côté est par excellence la propriété, la qualité ou l'état que l'on peut et que l'on doit aimer. L'« amour de la liberté » se fait aussitôt reconnaître pour la passion exigeante et nécessaire qu'il est, sans risque de sombrer dans la fadeur sentimentale. Seule la « vérité », dont nous reparlerons, partage avec la liberté ce trait d'appeler de soi-même, comme sur le bord de son concept, un amour qui la désire, qui la garde et qui peut-être pour finir est seul à la rendre réelle.

Cette implication mutuelle doit même être comprise de telle manière que seule la liberté donne le caractère propre de l'amour dans son acte (et l'amour n'est qu'un acte), cependant que l'amour seul donne le caractère propre de la liberté dans son contenu (et qu'est-ce qu'une liberté sans contenu, formelle ?). Et c'est aussi par cette implication, et seulement par elle, que les deux concepts peuvent retrouver quelque chose — et si possible, tout… — de leur effectivité et de leur énergie, en étant soustraits à la double abstraction juridique et sentimentale dans laquelle, depuis longtemps, ils sont en dessiccation, décharnés et creux au point qu'on ne peut les nommer sans pudeur, comme des obscénités lourdes de nos plus graves hypocrisies.

Toutefois, le fait même que ces mots, « liberté » et « amour », employés sans préalable qui vienne les redéterminer et les réactiver, appellent aussitôt le soupçon d'idéalisme hypocrite et de bavardage pieux, cela même doit nous tenir en éveil. Si nous formons un tel soupçon, c'est que nous savons obscurément que ces mots trahissent des réalités que pourtant ils nomment et qu'ils sont peut-être seuls, tout au moins jusqu'ici, à pouvoir nommer. Nous savons donc obscurément que ces mots qui sont parmi les plus distendus et les plus dégradés de notre lexique théorique n'occupent pourtant pas en vain la place qu'ils occupent : rien de moins, en un sens, que l'horizon d'une culture ou d'une pensée — si ce n'est même une place d'outre-horizon, la place d'une ouverture impossible à clore et à arraisonner car elle donne sur le sens lui-même, absolument, qu'on veuille l'entendre comme sens de l'être ou comme sens du monde.

Ces deux mots ne sont pas par hasard dans cette position de surplomb et d'excès (on pourrait dire aussi : de souveraineté) pour toute une culture, toute une histoire, toute une pensée. On renoncerait plus volontiers à la vérité, pourtant elle aussi souverainement dressée par-delà l'horizon, qu'à la liberté et à l'amour, si on ne devait s'apercevoir aussitôt que la première ne peut aller sans les deux autres. Et ce n'est pas non plus par hasard que ces deux mots auront connu toutes les méfiances et toutes les réductions, tous les soupçons, toutes les dénonciations : rien n'est plus illusoire que la liberté et que l'amour, ou mieux encore : l'un et l'autre sont le siège privilégié de l'illusion, produit de la conscience qui se piège elle-même ou d'une puissance quelconque qui la piège. Rien ne se laisse plus aisément réduire à l'inconstance. Il n'y a pas de liberté, il n'y a pas d'amour, nous le savons bien. (Ou bien : il faut le croire pour qu'il y en ait — et qu'est-ce donc que cette croyance ? Cette question reviendra sans doute nous visiter.) Tout cela fait symptôme : il se joue là une partie dans laquelle nous savons confusément que nous devons ressaisir ce dont nous nous estimons dessaisis ou incapables, non pas en vertu d'une exigence elle-même illusoire, mais parce que nous savons que ce dont il s'agit sous ces noms, ce ne sont pas ce qu'on appelle des « idéaux », mais cela forme l'élément même de notre existence. Nous n'avons pas à trouver la liberté ni l'amour, car nous sommes déjà en eux, nous sommes déjà par eux et selon eux mis et jetés au monde. Ainsi que le disait Kant, la liberté ne peut pas être apportée ni enseignée à un peuple s'il n'est déjà libre[1].

Nous sommes dans l'univers, dans l'*ethos* ou dans la *praxis* qui se repèrent — par-delà l'horizon et donc par-delà tout repère — sur ces concepts,

---

1. Emmanuel Kant, *La religion dans les limites de la simple raison*, trad. Jean Gibelin, Paris, Librairie philosophique Jean Vrin, 1983 [1794], p. 200, note 1.

liberté et *amour*, concepts dont la toute première marque distinctive est celle-ci : nous sentons aussitôt que le terme de «concept» est en défaut avec eux, et qu'il y a nécessairement plus, dans ces concepts, que du concept. Cette condition ne leur est pas exclusive, loin de là, mais c'est avec eux qu'elle se fait incandescente. Il nous revient donc de reprendre et de retravailler la charge, la tension de pensée et l'élan de désir qui, à travers ces mots, définissent et déchirent à la fois notre espace tout entier.

✳

✳   ✳

Il faut commencer par le commencement qui ouvre cet espace, par ce qui lui donne sa forme et son allure. Cela, cette disposition et cet événement, nous le nommons le retrait des dieux. C'est à cette très simple et si profondément énigmatique circonstance qu'il faut rapporter la constitution de l'espace qui devient désormais le monde. Nous le savons, mais nous ne cessons de l'oublier. Mais si nous l'oublions ainsi toujours à nouveau, c'est parce que nous ne pouvons pas en finir de creuser ce retrait, c'est-à-dire de pénétrer dans l'ouverture même qui nous ouvre et qui nous met à découvert — cela dût-il revenir à pénétrer les yeux ouverts dans l'obscurité totale.

Si nous n'avions pas toujours à faire au retrait des dieux comme à l'événement d'ouverture de notre monde (je dis bien d'ouverture, non de fondation ni d'inauguration : un retrait ne fait qu'ouvrir, et le mot de «retrait» peut aussi désigner un creux, une dépression, un évidement), nous ne serions pas dans la perplexité ou dans l'aporie que nous connaissons à propos du dieu unique supposé avoir succédé à ce retrait. Nous ne serions pas affairés à établir ou à démolir ses preuves, à le tuer ou à le transposer, à pleurer sur lui ou à rire de lui, tour à tour ou simultanément, tous en chœur ou par factions opposées. Et par conséquent, nous ne serions pas constamment occupés à discuter de ces deux termes, liberté et amour, qui composent en somme pour nous l'essentiel d'une nature divine, que cette nature appartienne à un existant distinct, ou à nous-mêmes, par nous nommés les «hommes», ou bien encore au monde dans sa totalité. Liberté et amour sont les propriétés premières du dieu unique : mais ce qu'est proprement ce dieu, et si même il n'est pas l'abîme où le divin s'abolit, voilà qui reste comme essentiellement irrésolu et qui ne cesse de dresser devant nous le signe crucial de cette irrésolution.

*

* *

Un monde des dieux, sans retrait, est un monde ordonné par un jeu de présences et de puissances (présence et puissance sont corrélatives : toute présence
exerce une puissance, toute puissance se présente). Les êtres que l'on nomme
« dieux » (ou « déesses ») sont des puissances présentes et en présence desquelles
les hommes vivent. Entre ces dieux comme entre eux et les hommes, il y a jeu
de forces, opposées ou composées. Leurs conflits, leurs conciliations et leurs
contagions font le mouvement de ce monde. En revanche, le monde sans dieux
dont nous héritons sans testament (car ils ne nous en ont laissé aucun)[2], en
légataires universels de l'univers lui-même (de son unicité disséminée, de son
événement multiple et singulier), ce monde ne comporte ni présences ni puissances données. Tout ce qui peut y relever du régime de la présence et de la
puissance s'y rapporte d'abord, en première ou en dernière instance, à cela qui
précisément ne peut pas relever de l'*instance* entendue comme la stabilité et la
constance d'une substance toujours-déjà sous-jacente à elle-même. Ce monde

2. Sans doute, on doit poser la question : y aurait-il un testament des dieux dans ce
qu'on appelle le monothéisme ? Je ne parle pas, bien évidemment, de toutes les survi-
vances dites « païennes », qui sont légion comme on le sait. Mais je parle d'une possible
trace du divin lui-même au sein de ce qui s'en retire à tous égards. Autrement dit : quoi
encore, pour nous, du sacré ? — question qui ne peut être posée qu'à la condition de
refuser que le « sacré » soit intégralement transposé en un mystère révélé à même l'homme
et le monde, sans plus, comme c'est le cas, jusqu'à un certain point du moins, chez
Feuerbach, Marx ou Freud, ou comme c'est le cas aujourd'hui souvent dans des pensées
de l'art rattachées par quelque lien à Benjamin et Adorno. Cette question est d'une
extrême délicatesse et devra être reprise ailleurs. Elle ne met en jeu rien de moins que
la continuité dans la discontinuité de l'histoire, ou : comment l'Occident brise et poursuit
à la fois le cours de l'histoire, qu'il rend ainsi proprement *historique* mais ainsi également
dépourvu d'*origine*. (N.B. : ce qu'on nomme ici « Occident » ne doit pas simplement
laisser hors de son champ, quelles que soient les différences, les transformations opérées
en « Orient » autour des autres formes de retrait des dieux qu'accompagnèrent les pensées
de Confucius, Lao Tseu ou Bouddha. De manière très générale et ultraschématique, il
s'agit des diverses sorties des religions et des cultures essentiellement agraires. Mais avec
cela, c'est aussi toute la question des déterminations en « première instance » de la
culture ou de la civilisation qui doit être remise en jeu : c'est-à-dire la question de la façon
dont nous nous comprenons nous-mêmes en tant qu'histoire et monde.)

se retire la sous-jacence d'un fondement ou d'une origine (tout comme il se retire, dans sa technique et son économie, l'appui exclusif du sol cultivé et s'aventure — pour le dire au moins par image — sur les supports instables de la mer, des opérations sidérurgiques ou commerciales et des signes monétaires et scripturaux).

Ce retrait devient la présupposition qui n'est pas posée. Le rapport au donné retiré devient donc un rapport à ce qui ne précède qu'en succédant : à une origine qu'on peut seulement chercher ou forger après coup. Le principe n'est plus une donnée première, mais une fin dernière. Mais cela signifie aussi que cette fin dernière n'est plus la finition donnée avec le principe (comme c'était le cas du monde des mortels en rapport avec leurs dieux) : elle relève d'une finitude qui excède toute finition, d'une exécution qui n'achève pas mais qui exalte encore le commencement lui-même. C'est ainsi que la mort change de sens : au lieu d'être la limite impartie à une forme d'existence, elle devient la possibilité ultime d'ex-position de l'existant, et de ce fait elle peut être représentée comme excédant sa propre limite tout en ouvrant sur sa rigoureuse négativité.

Pareille ordonnance an-archique du monde peut se nommer d'un mot pris à la théologie monothéiste : le mot de *création*. Mais c'est à la condition que soit établi avec précision le concept du *ex nihilo*. Il convient pour cela de la séparer avec soin de tout concept de fabrication ou de production qui supposent données d'une part une matière, d'autre part une forme (c'est-à-dire une force formatrice ou un sujet). Mais si rien n'est donné — ou si le seul donné est *rien* — alors n'est pas donnée non plus une distinction de matière et de forme. Mais la consistance impénétrable (ce qu'on nomme « matière ») et l'ex-position intégrale (ou l'expérience de ce qu'on nomme « sens ») composent une même chose, qui est *rien*. Mais *être rien* n'est pas du tout équivalent à *n'être rien*. C'est être cette chose bien particulière qui est justement *être* entendu comme le verbe transitif de l'acte qui fait exister (qui ex-iste l'étant ou qui l'ex-cite).

La création an-archique présuppose donc le retrait de toute présupposition. Le monde des dieux présuppose toujours un donné, une archi-divinité, une Moire ou une Mère, un Chaos et une Puissance. Ici au contraire, la présupposition est soustraite et déposée.

C'est cette déposition qui ouvre la double nécessité de la liberté et de l'amour. L'*ex nihilo* sans matière ni forme ne dispose de rien d'autre, si l'on peut parler ainsi, que de son propre *ex*. Il est ou il fait, il « acte » ou il « transit » l'*ex-* de l'être (de) quelque chose en général (son être-sans-raison-donnée-ni-

145

rendue). L'*ex-* se donne comme distinction de quelque chose et de rien. (Mais ainsi, il ne « se donne » pas, puisqu'il est sans « soi » et reste à jamais non donné et non donnable : le don même, si l'on veut.) La *distinction* est ouverture (de la racine *stig-*, piqûre, incision, marque). Elle n'ouvre pas le rien, comme si elle formait sa matière : elle exécute le rien comme incision, comme marque nulle de l'ex-ister qui distingue quelque chose de rien.

*

* *

La liberté nomme ici le commencement comme commencement véritable, c'est-à-dire sans antécédence. La liberté qui « se précède elle-même » comme l'écrit Pareyson[3]. Le commencement qui se commence et qui donc n'est « à soi » que sur le mode de n'être pas « soi ». On pourrait dire : le commencement qui ne se commence que sur le mode de se surprendre. La liberté ne peut « se prendre » (au sens où on dit « je prends la liberté de vous adresser la parole ») que par surprise, en se sur-prenant elle-même. (Or nous avons là, comment ne pas le remarquer, une marque caractéristique du commencement d'amour : il se surprend, il se précède, il distend son propre temps. Mais n'anticipons pas.)

De même qu'il se surprend, ce commencement ne s'ordonne pas à une fin. La création n'a rien à voir avec une réalisation de fins, ni dans l'ordre d'une nature (qui serait sa propre fin), ni dans celui d'une technique (où la fin serait donnée d'ailleurs). La création est à la fois sa propre fin (comme une nature) et l'exécution d'une fin extrinsèque (comme une technique) : c'est-à-dire qu'elle a sa fin au-dedans de soi en tant que dehors, ou au-dehors de soi en tant que dedans. Cela veut dire : dans un monde, si un monde est le dedans d'un dehors, le dedans ou le *in-* de l'*ex-*istant. Cela « dans » quoi ça existe, et qui n'est pas un existant de plus, mais l'acte qui le commence en tant que sa propre fin sans fin propre. La création, en effet, à la différence de toute production, n'est pas relative à l'essence des choses, mais à leur existence. Et les essences ne sont ici que des modes de détermination subordonnés à diverses relations dans l'existence.

Si la liberté en tant que commencement pose l'existence irréductible à aucune essence, la distinction de l'existence implique que celle-ci soit choisie,

---

3. Luigi Pareyson, *Ontologie de la liberté : le mal et la souffrance*, trad. Gilles A. Tiberghien, Combas, Éditions de l'éclat, coll. « Philosophie imaginaire », 1998 [1995], p. 31.

chaque fois, comme et dans sa singularité. Exister n'est pas être posé comme un objet sous une catégorie, mais avoir lieu comme un événement et comme l'événement de son propre « chaque fois », selon lequel le singulier s'approprie sa singularité (ce que Heidegger travaille sous le nom démultiplié d'*Ereignis*, *Enteignis, Zueignis*: propriation dépropriée et dédiée)[4].

Le choix de l'existence est donc nécessairement le choix de l'existant. Le choix de l'existant est le choix de sa singularité. C'est-à-dire qu'il confère à la singularité en tant que telle une valeur absolue. Non seulement l'existence mais *celle-ci* vaut d'être choisie. Elle doit être élue entre toutes, et cette élection qui distingue absolument forme une dilection. La dilection est amour (il y eut en latin deux formations verbales qui se sont ensuite contaminées, *de-lego*, choisir complètement et *dis-lego*, séparer, distinguer, chérir, aimer). Il n'y a pas d'élection véritable sans dilection. Et on peut ajouter, pour continuer à exploiter le latin, que c'est la dilection qui rend *l'intel-lectio* possible — tout autant qu'elle comporte sa possibilité inverse : la *neg-lectio*. Le mal consiste à négliger l'existant, à négliger d'en avoir l'intelligence.

Mais il n'y a pas non plus de dilection véritable qui ne soit absolue et inconditionnelle. La négligence, pour sa part, n'est pas inconditionnelle : elle présuppose que quelque chose est donné. L'amour est l'acte de la liberté se décidant pour l'existence, et cette décision est chaque fois pour un(e) existant(e)[5]. Chaque fois celui-ci ou celle-là, chaque fois « moi-même » ou un(e) autre, absolument et exclusivement singulier, d'une singularité propre à l'événement de cette décision chaque fois distincte. C'est à cette singularité qu'est conférée la valeur absolue, le prix incommensurable qui la fait chérir.

Pour cette raison, le singulier est non seulement ce à quoi (celle, celui à qui) l'amour s'adresse, mais il est aussi de ce fait ce qui peut le susciter, le faisant jaillir de rien, faisant battre un cœur de rien et pour rien (dans toutes

---

4. Je laisse ici de côté, au moins provisoirement, la possibilité nécessairement conjointe que le choix se tourne contre l'existence et pour sa ruine, possibilité du mal dont Pareyson fait le second grand thème de son travail.

5. Cf. les formules frappantes par lesquelles Jean-François Courtine conclut le recueil de ses études sur Schelling, pour désigner la condition essentielle de « l'élaboration d'une ontologie de la liberté » : « Il faut », dit-il, « tout à l'inverse » [de la simple idée de Dieu comme l'existant nécessaire] « montrer et comprendre comment Dieu a pu se décider pour l'être ou mieux pour l'*être étant*. » (Jean-François Courtine, *Extase de la raison : essais sur Schelling*, Paris, Éditions Galilée, coll. « La philosophie en effet », 1990, p. 311)

les valeurs possibles de l'expression). Et plus exactement, l'amour paraît tendu entre deux extrémités : celle du « coup de foudre » ou de l'« amour du premier regard », fût-il sans lendemain et sans contenu, et celle de l'« amour du prochain », où le prochain doit être élu en tous sans distinction, et en somme sans dilection, élu lui aussi pour rien d'autre que pour ce qui le fait « prochain » et que le christianisme formule comme la présence en lui de Dieu, et donc de l'amour lui-même. Selon le schème de cet arc tendu entre deux extrémités, l'« amour du premier regard » est aussi celui qui peut échouer, ne pas rencontrer l'autre, car il n'y a pas de raison qui rende compte de l'élection — tandis que l'« amour du prochain » fait élection de tous sans distinction et ne connaît aucune contingence dans son rapport à l'un(e) ou à l'autre des prochains.

C'est d'ailleurs aussi pourquoi Nietzsche, lorsqu'il oppose l'amour du lointain (*die Fernsten-Liebe*) à l'amour du prochain, jugé appropriateur et identificateur, pénètre en réalité la vérité de ce dernier : le « prochain », c'est le plus lointain considéré à l'égal du plus proche[6]. Mais réciproquement, dans l'amour de dilection et de distinction, la proximité d'où naît le désir ouvre sur l'éloignement et sur le secret de l'aimé(e). Le rapport à ce lointain est donné dans la pudeur.

La pudeur est le sentiment de la distance qui s'impose dans la proximité, et cette distance tient à l'éloignement infini — et infiniment libre — que l'amour ouvre dans l'existant. Quel(le) que soit cet(te) existant(e), celle ou celui qui est choisi(e) « parce que c'est elle (lui) », selon la formule de Montaigne, est choisi(e) inconditionnellement pour son existence et en raison d'elle, ce qui veut dire identiquement : en raison de son absence de raison. En un sens, donc, l'amour du prochain et le coup de foudre ont même fond — et ce fond ne fonde pas. Or c'est précisément ce que fait la création en créant *ex nihilo* : elle décide pour l'existence sans raison de ce qu'elle crée sans raison — et qui, dans le cas paradigmatique, s'appelle un monde. Mais un monde, c'est bien ce que constitue chaque fois un(e) aimé(e) pour l'amant(e) : un monde, une plénitude de sens. En décidant pour son monde, la création crée toujours de l'autre — y compris lorsqu'il s'agit du même et de l'amour de soi. Essentiellement la création *altère* son propre principe ou son propre sujet, comme on voudra nommer par commodité cela qui tout d'abord n'est *rien* — rien que la liberté, *rien* comme liberté. La liberté créatrice altère le *rien* qu'elle est. En français « altérer » veut

6. Friedrich Nietzsche, *Ainsi parlait Zarathoustra*, trad. Maurice de Gandillac, Paris, Éditions Gallimard, coll. « Idées », 1972 [1883-1885], p. 79-81.

dire non seulement modifier, transformer, mais plus précisément affecter, troubler, déranger — jusqu'au point où « être altéré » signifie couramment « avoir soif » ou « être en désir de ». L'amour altère la liberté : il lui donne le désir de l'élection et de la dilection de l'existence, de celle d'un existant — et il déplace son *rien*, il le modifie en le tournant vers l'autre d'une existence singulière.

Car l'autre n'est pas donné : l'altérité de l'autre ne consiste pas dans la position donnée d'une essence. Elle consiste dans l'altération de la liberté qui se décide pour une existence : cette existence (qu'on doive la dire « mienne » ou « étrangère » dans l'ordre factuel) est de soi l'autre à quoi la liberté s'adresse, l'autre qu'elle crée comme le monde pour lequel elle se décide. La force de cette décision altérante se nomme l'amour. La haine est son revers, que la liberté peut aussi choisir : mais la haine s'adresse à une existence déjà donnée, et donc donnée par l'amour. C'est aussi pourquoi l'amour est inconditionnel et non la haine.

149

La liberté essentiellement s'altère. Cela signifie qu'essentiellement elle est amour. La liberté est *son amour* au double sens où l'on peut comprendre aussi bien la passion ressentie que ce qu'on appelle l'objet de cette passion. Mais précisément il n'y a ici ni objet ni sujet. Il ne s'agit pas d'un rapport à soi : cette altération ne survient pas à un soi, elle survient à rien, elle est la distinction qui distingue quelque chose de rien, c'est-à-dire la stigmatisation du rien, le rien en tant qu'incision et marque vide ouverte entre les existants. Chaque existence s'y avère comme une telle altération. Chacune est autre que les autres et qu'elle-même, en étant séparée et leur étant reliée par rien.

Ainsi la liberté s'aime (ou se hait) et l'existence s'aime (ou se hait). L'amour (ou son contraire) n'est pas autre chose que la différence valant pour elle-même, c'est-à-dire *rien* valant absolument, valant de la valeur qui ne se mesure pas, du prix incalculable de l'inconditionnel. On peut dire ici avec Raymond Lulle :

> Dans l'amour, la différence s'introduit elle-même entre l'aimant, l'aimable et l'aimer ; et l'amour rend aimables le différenciant, différenciable et différencier de l'ami et de l'aimé, qui sont, eux, différents l'un de l'autre : chacun d'eux est aimé d'amour par l'autre et ils s'assemblent dans l'action d'aimer[7].

6. Raymond Lulle, « L'arbre de philosophie d'amour », dans *L'arbre de philosophie d'amour et de l'aimé et choix de textes philosophiques et mystiques*, trad. et intro. Louis Sala-Molins, Paris, Éditions Aubier-Montaigne, coll. « Bibliothèque philosophique », 1967 [1298], II, 10, p. 215.

Autrement dit, l'assemblement d'amour n'assemble que le distinct, cela ou plutôt ceux-là qui sont distingués précisément par l'amour lui-même. Cet assemblement n'est pas une union ou une fusion qui aboutirait à une unité : cette unité résorberait à l'instant l'amour lui-même, c'est-à-dire en lui la liberté de la décision inconditionnelle pour l'existence en tant que distincte. L'amour unit dans l'exacte mesure où il distingue, où il altère et où il s'altère lui-même. Dans les termes des mystiques à la source desquels puise Pareyson, cela se dit par exemple de cette manière :

> *Homme, si Dieu ne s'aimait lui-même en toi,*
> *Jamais comme il convient tu ne pourrais l'aimer*[8].

150

Ce distique d'Angelus Silesius énonce clairement que l'amour est d'abord l'amour de soi de Dieu, c'est-à-dire l'amour de soi de l'amour, lequel n'a lieu que dans l'autre que l'amour se donne afin de s'y aimer, mais se donne de telle sorte qu'il s'y altère absolument dans la libre création d'une créature libre. L'amour est amour de soi parce qu'il s'altère de lui-même en lui-même. En ce sens, il n'y a pas à opposer — contrairement à ce qu'affirme parfois Augustin — un amour de l'amour et un amour de l'autre. Car l'amour de l'amour ne peut qu'être la création de l'autre. Et dans l'amour de l'autre, l'amour ne cesse pas de s'aimer. « L'amour dont Dieu s'aime lui-même », selon la formule de Spinoza que Pareyson rappelle dans la même page, répond à la définition spinozienne générale de l'amour, à savoir « la joie accompagnée de l'idée d'une cause extérieure[9] » : par conséquent, l'altérité que pose cette définition doit être impliquée dans l'amour divin de soi (et donc dans l'amour de soi en général). On devrait ainsi se risquer à extrapoler de Spinoza les propositions suivantes si Dieu est identiquement la cause de soi, Dieu comme cause de sa propre joie est en lui-même autre que soi. Comme cause de soi, il est l'essence qui enveloppe nécessairement sa propre existence, et comme cause de sa joie d'amour il est sa propre liberté qui s'adresse à son existence comme à un dehors de soi.

Sans doute, cette extrapolation semble contredire le principe selon lequel le Dieu de Spinoza ne saurait pâtir, et ne saurait donc trouver en soi aucune altérité. Néanmoins, s'il jouit de l'amour de soi, cette jouissance emporte avec elle, fût-ce sans passivité, un excès sur la pure et simple identité à soi. Quoi qu'il en soit ici d'une orthodoxie spinozienne, nous dirons que cet amour divin, qui

---

8. Luigi Pareyson, *Ontologie de la liberté*, p. 225.

9. Spinoza, *Éthique*, III, 13, *scolie*, trad. Robert Misrahi, Paris, Presses Universitaires de France, coll. « Philosophie d'aujourd'hui », 1990 [1677], p. 168.

fait aussi l'amour de l'homme pour Dieu, amour dit « intellectuel », n'est rien d'autre que la liberté de l'existant s'adressant à la valeur absolue de l'existence. C'est l'existence qui se chérit absolument en tant que telle et sans égard à aucune essence. Ou bien encore : c'est ce « chérir lui-même » qui envahit son essence. L'amour développe ainsi en liberté ce que l'essence enveloppe en nécessité. Ou bien encore : l'essence enveloppe son propre dehors et l'amour développe son propre dedans. De l'une et de l'autre manière, le « propre » n'est jamais ici dans la simple identité immédiate. Il est au contraire le plus proprement dans sa propre altération et dans sa propre exposition. Le couple de la liberté et de l'amour est ainsi avéré comme la propriété — c'est-à-dire aussi bien comme l'événement — de l'existence. L'existence est ce qui s'expose et qui en s'exposant s'altère.

Cela signifie aussi que ce qu'on nomme la finitude appartient essentiellement à l'existence : elle est la marque de la distinction, le stigmate du *rien* qui ouvre l'espace des existants. L'existence de Dieu — si on veut encore le nommer ainsi — n'est infinie que pour autant qu'elle n'est aucune des existences finies, et que son être est dans le retrait de toute position d'existence, mais c'est dans la finitude qu'elle trouve sa joie.

✲

✲ ✲

Depuis un retrait et à travers une ouverture, ce qui a lieu est de l'ordre de l'adresse. Si la liberté désigne le déclenchement de l'ouverture, l'amour désigne l'adresse que l'ouverture tout à la fois forme et performe. Il en va ici comme de l'ouverture de la bouche à la naissance : au moment où un existant se sépare, il ouvre passage à l'air qui devient l'élément extérieur de sa respiration, et il exhale le cri par lequel il s'adresse aux autres et à cet autre qu'il devient pour soi. Ou plus exactement : c'est dans son cri que l'altération a lieu et que l'altérité survient.

L'adresse est le cri ou la voix qui porte et qui transit toute parole ultérieure (mais qui commence avant la parole, aussi en ce sens qu'elle n'est pas réservée à l'homme). La voix de la liberté a l'intonation de l'amour (ou de son contraire). L'intonation de l'amour est l'unique signification de la parole d'amour. « Je t'aime » signifie l'adresse inconditionnelle à l'absolu d'une existence. « Toi » ou « tu » est le nom de cette existence en tant qu'autre. C'est l'amour qui fait le toi, et non l'inverse. Et c'est du « toi » aimé que peut seulement venir le « je » qui énonce la phrase : car cette phrase le pose exposé, absolument altéré, n'ayant de propriété que dans cette adresse. Pour que l'amour se renverse en haine, il faut que « je » se retienne de s'altérer : il faut que la liberté se renonce elle-même, renoncement qui lui appartient comme la propriété de sa propre distinction d'avec soi, sans laquelle elle ne serait pas libre. La liberté est libre de refuser l'amour, qui est sa vérité.

L'adresse fait de l'altération une allitération : elle répète la sonorité, l'intonation, la voix qui s'adresse. Elle répète « toi, toi, toi », elle répète sa dilection, elle ne fait rien d'autre que toujours à nouveau et chaque fois recommencer le commencement d'une invocation qui n'a pas d'autre sens que d'invoquer en somme son propre écho : mais l'écho fait entendre la résonance infinie de l'autre.

152   L'adresse ou l'appel de l'amour n'a pas d'autre sens — mais dans ce sens insensé ou *exsensé* bat le cœur du sens lui-même, absolument. Car le sens n'est pas autre chose que le renvoi à de l'autre en général : le sens est l'altération de l'identique qui le fait résonner, qui lui fait rendre le son de son adresse, c'est-à-dire aussi de sa destination, ou de ce que l'on appelle le sens de l'existence. Mais un tel sens ne consiste pas dans un aboutissement. Il ne s'accomplit pas dans une signification. Le sens en tant que sens de l'amour, donné par l'amour et par sa liberté, n'est pas un renvoi à l'autre comme s'il s'agissait du renvoi de quelque chose à quelque chose et de l'établissement d'une relation (correspondance, implication, explication) entre un objet et un autre ou bien entre un sujet et un autre. L'amour n'est pas une communication, sinon au sens où l'on peut parler de communiquer un mouvement. C'est le contact, la contagion du mouvement de l'adresse avec le mouvement de l'autre, que précisément l'adresse déclenche en le touchant. L'amour est lui-même le mouvement de l'altération, et en cela il est, il fait le mouvement de la liberté (or il est de l'essence d'une liberté d'être mobile). Ce dont il s'agit dans l'autre n'est ni l'objet, ni le sujet, mais le mouvement, l'exposition, l'altération. Parlant de l'amour, Husserl nomme cela *Strebung*, tension, élan ou aspiration. La *Strebung* est en somme la forme affective (ou le fond...), et par conséquent altérante, de l'intentionnalité. Husserl écrit : « les amoureux ne procèdent pas simplement l'un l'autre à des communications réciproques [...] Mais du fait qu'ils sont liés par une communauté d'amour toute l'aspiration de l'un pénètre universellement dans l'aspiration de l'autre[10] [...] » L'amour est une tension vers une autre tension et tendue par

---

10. Edmund Husserl, *Sur l'intersubjectivité*, trad. Natalie Depraz, Paris, Presses Universitaires de France, coll. « Épiméthée », 2001 [1921-1928], vol. II, p. 273.

elle — et cette tension n'est dans son principe pas une autre que celle par laquelle l'existant existe. L'amour est le plus proprement l'ex-ister de l'existant — tout comme la haine est le plus proprement le refus et la répression de l'exister en tant que tel. C'est aussi pourquoi la création qui fait exister ne peut être comprise que selon la liberté de l'amour.

En ce sens, cette liberté fait sens au-delà de toute signification : car elle ne renvoie à rien d'autre qu'elle-même, tout comme la création ne renvoie à rien d'autre qu'à cette tension ou cet élan qu'elle est elle-même (*creatio*, le fait de faire croître, de prendre soin de la croissance, pour elle-même). Que l'amour se suffit à lui-même, c'est une pensée souvent développée. Saint Bernard écrit dans son commentaire du *Cantique des cantiques* :

> L'amour suffit par lui-même, il plaît par lui-même et à cause de lui-même. Il est à soi son mérite et sa récompense. L'amour ne demande pas d'autre cause que soi, ni d'autre fruit. Son fruit est son exercice. J'aime parce que j'aime ; j'aime afin que j'aime[11].

153

L'autosuffisance de l'amour est précisément le contraire d'une autosuffisance. C'est la suffisance d'une altération de soi et qui précède toute possible constitution d'un « soi ». Telle est la suffisance de la liberté : elle s'aime elle-même, c'est-à-dire qu'elle aime toujours à nouveau (se) recommencer, (s')altérer et (se) décider pour l'existence — ou pour son refus.

---

11. Saint Bernard de Clairvaux, *Sermon sur le Cantique des cantiques*, 83. 4, cité par Pierre Rousselot, *Pour l'histoire du problème de l'amour au Moyen Âge*, Paris, Librairie philosophique Jean Vrin, coll. « Bibliothèque d'histoire de la philosophie », 1981 [1933], p. 80 (je traduis).

Artiste invité
Guest Artist

Bill Morrison
Light is Calling (fragments)

L'amour, en ruines :
notes sur quelques photogrammes
du film de Bill Morrison
Light is Calling

A N D R É H A B I B

En 1945, André Bazin écrivait :

> [L]e cinéma apparaît comme l'achèvement dans le temps de l'objectivité photogra-
> phique. Le film ne se contente plus de nous conserver l'objet enrobé dans son
> instant comme, dans l'ambre, le corps intact des insectes d'une ère révolue, il
> délivre l'art baroque de sa catalepsie convulsive. Pour la première fois, l'image des
> choses est aussi celle de leur durée, et comme la momie du changement[1].

Près de soixante ans après qu'elle eut été énoncée, cette formule célèbre se
trouve tout à la fois confirmée et contredite par le « destin des images » cinématographiques. Si, embaumé par l'appareil de captation, le temps réel des
choses que la caméra enregistre se « soustrait à sa propre corruption », leur
image se trouve tôt ou tard soumise à un autre type de décomposition : celle de
la pellicule cinématographique sur laquelle se formule fatalement le passage
des ans. Dans les voûtes des cinémathèques, dans les caves et greniers de col-
lectionneurs, longtemps jugé obsolètes par les archivistes, les historiens et les
« exhibiteurs », repose un stock inimaginable d'images pourrissantes : fragments
anonymes, bobines abîmées, rouleaux rongés par la moisissure. Ces lambeaux
de pellicules, voués à l'oubli, forment depuis une vingtaine d'années la matière
première des pratiques de plusieurs artistes[2] qui, tout en empruntant des voies

---

1. André Bazin, « Ontologie de l'image photographique » [1945], dans *Qu'est-ce que
le cinéma ?*, Paris, Les Éditions du Cerf, 1997 [1985], p. 14.
    2. On notera parmi les plus remarquables les cinéastes Peter Delpeut (*Lyrisch nitraat*,
1990), Jürgen Reble (*Passion*, 1989-1990), Angela Ricci-Lucchi et Yervant Gianikian (*Dal*

différentes, s'emploient à exhumer ces fragments et à leur donner une seconde vie, une nouvelle visibilité. Chacune de ces œuvres est d'ailleurs traversée par un instant décisif où, au hasard des recherches, comme par un *coup de foudre*, l'artiste se trouve soudainement happé par la beauté plastique ou la puissance d'évocation de ces images rescapées, brûlées par le temps. Le plaisir esthétique que suscitent ces images en ruines repose en effet sur la « valeur d'ancienneté » de la pellicule filmique (patine du temps, scories ombreuses, couleurs éclantes), la mémoire historique qu'elles portent, et les refigurations surprenantes qu'engendre l'usure du support filmique. On pourrait dire que les films du new-yorkais Bill Morrison explorent toutes les facettes de cette nouvelle « esthétique des ruines ».

Arrivé au cinéma par le détour de la peinture, c'est en plasticien tout d'abord qu'il envisage son travail cinématographique. Depuis le début des années 1990, il poursuit, très souvent avec la collaboration de la compagnie Ridge Theater de New York, et de compositeurs-musiciens (Michael Gordon, Bill Frisell), une œuvre singulière qui exploite, entre autres, le rythme et les textures visuelles de la pellicule détériorée, créant une fusion hypnotique d'images et de sons[3]. Morrison s'interroge sur le sens de l'histoire, de la mémoire des images et de leur oubli (*The Film of Her*, 1996 ; *Decasia*, 2002), ou encore sur l'impact proprement « attractif » du cinéma sur nos sens (*Footprints*, 1992 ; *The Death Train*, 1993). Tout particulièrement, ses « films d'archives » — ou *found footage* selon l'expression consacrée —, appellent une réflexion sur la « mémoire impossible de la pellicule[4] » qui, en se décomposant superbement, révèle néanmoins l'importance de sa préservation et du temps propre au cinéma.

En 2001, les employés de la Library of Congress à Washington présentent à Morrison une copie nitrate teintée, fortement abîmée, d'un film de James Young, *The Bells* (1926), qu'ils s'apprêtaient à détruire. En remontant ce matériau filmique, en ajoutant une bande sonore, et en rephotographiant à l'aide d'une tireuse optique chaque photogramme afin de ralentir le défilement des images et de mettre en valeur les effets plastiques engendrés par la décomposition

---

polo all'equatore, 1987, *Su tutte le vette è pace*, 1998), ainsi que le photographe-plasticien Éric Rondepierre (*Précis de décomposition, Moires, Les trente étreintes*, 1993-1999).

3. La compagnie de production de Bill Morrison porte d'ailleurs le nom de *Hypnotic Pictures*.

4. Propos rapportés par Élisabeth Lebovici, « Mes films pourriront aussi. Entretien avec Bill Morrison », *Libération.fr*, 11 juin 2003, <http://www.liberation.fr/imprimer.php?/Article=116790>

de l'émulsion (mais sans jamais retoucher les images à proprement parler), Morrison tira de cette copie originale deux films *originaux* : *The Mesmerist* (2003) et *Light is Calling* (2004). C'est de ce dernier film que sont extraits les vingt photogrammes qui composent le présent dossier.

Dans l'une des scènes du film de Young, un officier de cavalerie tombe sous le charme de la fille d'un aubergiste puis tente de — et finit par — la séduire. Cette scène, qui ne dure que quelques instants dans le film original, est métamorphosée dans *Light is Calling*, grâce à un procédé complexe[5], en un riche poème visuel de huit minutes accompagné par une partition pour orchestre de Michael Gordon. Le temps ainsi dilaté, le découpage de l'action se résume à quelques traits minimaux : plans de la cavalerie, jeux de regards de la jeune fille et du jeune homme, rencontre du couple au centre de l'image, sortie du cadre par la droite. Cette description n'épuise pas toutefois ce qui se passe dans le film et qui a précisément à voir avec ce qui s'est *passé* sur la pellicule. Avec la décomposition du nitrate sont apparus de larges trous, crevasses, bouillons roses, blancs, pourpres, noirs, qui ont modifié le mouvement des corps et l'expression des visages, dégoulinant ou éclatant en girations spectaculaires, pris dans le flux mouvant des images. La pellicule ruinée, tout comme, à une autre époque, les pierres imagées[6], crée des transformations visuelles qui se prêtent au jeu des analogies et des métaphores, accusant certains traits de l'image, approfondissant ou surdéterminant parfois les scènes représentées : pathétisme, caricature, parodie, mélancolie, affectation, mascarade, autant d'effets dramatiques que la décomposition de la pellicule engendre.

Si l'image animée décomposée libère des virtualités plastiques inattendues, il en va tout autant, sinon plus, de la présentation de photogrammes fixes. Elle appelle encore une autre appréciation de ces images et confirme l'intérêt que peut représenter le photogramme, que Roland Barthes a décrit en 1970 comme un « artefact majeur ». À ce propos, Barthes en parlait comme de la

159

---

5. Chaque photogramme du film original a été multiplié quatre fois à la tireuse optique. Chaque série de quatre photogrammes a ensuite été surimposée sur les deux premiers photogrammes de la série suivante, et ainsi de suite. Ceci produit un étrange effet de fondu enchaîné continu, et contribue à cet effet de flottement fantomatique sur lequel repose l'efficace visuelle du film.

6. Sur ce point, voir Jurgis Baltrušaitis, *Aberrations : essai sur la légende des formes*, 1. *Les perspectives dépravées*, Paris, Éditions Flammarion, coll. « Idées et recherches », 1983 [1957], p. 54-88.

trace d'une distribution supérieure des traits dont le film vécu, coulé, animé, ne serait en somme qu'un texte, parmi d'autres. [...] film et photogramme se retrouvent dans un rapport de palimpseste, sans qu'on puisse dire que l'un est le *dessus* de l'autre ou que l'un est *extrait* de l'autre[7].

Ce qui est vrai du rapport de palimpseste entre le photogramme et le film l'est également pour la relation que nouent cette image et son support matériel, dans lequel les corps semblent à la fois se lover et agoniser. Le vieillissement de la pellicule produit de nouvelles possibilités de signification, de la même manière qu'un autre sens (ce que Barthes appelle « le troisième sens », ou le « sens obtus ») apparaît à l'analyse du photogramme : ces photogrammes en ruines rendent visible un *nouveau récit amoureux*, par-dessus ou par-devant le premier, reproduisant et dramatisant les différents instants de la rencontre des amants, comme si chaque image en captait un moment : l'approche, l'attention, l'hésitation, la déchirure, le timide acquiescement, la cristallisation amoureuse, la fuite, l'abandon, l'embras(s)ement, etc. Les effets d'empâtement, de lavis, de coulures que le hasard a produits rompent la continuité des gestes et développent en autant de tableaux une nouvelle intrigue, tantôt féérique ou onirique, tantôt cauchemardesque ou horrifiante.

Tout comme dans la série du photographe français Éric Rondepierre, *Les trente étreintes* (1997-1999, fig. 1-2), les corps des amoureux sont plongés dans une agitation, une tourmente qui a de toute évidence peu à voir avec le mouvement initial de la scène. La force de ces deux séries de photogrammes est sans doute de donner à ces accidents matériels une autonomie esthétique. La matière et l'image sont à ce point confondus qu'il serait en effet difficile d'imaginer l'état primitif de ces photogrammes, ou encore de distinguer ce qui relève de l'image, et ce qui est le fruit de la décomposition du support. Ces *images en mouvement suspendu* se présentent comme des compressions de durée stratifiées, déployées en autant de *figures de matière*, ou de *figurations matérielles*. Tout comme un temple tombé en ruines ou une fresque délitée[8], les accidents

7. Roland Barthes, « Le troisième sens. Notes de recherches sur quelques photogrammes de S.M. Eisenstein », *Cahiers du cinéma*, 1970, repris dans *L'obvie et l'obtus, Essais critiques III*, Paris, Éditions du Seuil, coll. « Tel quel », 1982, p. 60.

8. « Il faut ruiner un palais pour en faire un objet d'intérêt. » (Denis Diderot, *Salons de 1767*, repris dans *Salons III : ruines et paysages*, Else Marie Bukdhal, Michel Delon, Annette Lorenceau (éds.), Paris, Éditions Hermann, coll. « Savoir : Lettres », 1995 [1767], p. 348)

Fig. 1-2, Éric Rondepierre, *Étreintes* n°s 15 *et* 22 (*Les trente étreintes*), 1997-1999, Cibachrome sur aluminium, 40 × 60 cm (avec l'aimable permission de l'artiste).

du temps ont réalisé une œuvre *à part entière*, que le cinéaste-chiffonnier ra-
pièce, découd, donne à voir, et qui peut évoquer les têtes convulsées des polyp-
tyques de Francis Bacon, une valse de fantômes ou l'iconographie des contes
de fées.

Il serait possible d'étendre la remarque de Dominique Païni, formulée il y
a quelques années à propos de la fièvre restauratrice et de la revalorisation du
fragment filmique dans les cinémathèques, et affirmer qu'« un véritable "imaginaire des ruines"[9] » s'est emparé du cinéma depuis une vingtaine d'années.
Cet imaginaire est certainement lié à un amour des images, mais encore plus,
il semble, à un amour — parfois même fétichiste[10] — pour la pellicule cinématographique (son odeur, son toucher, sa lumière) que les supports numériques
sont censés rendre bientôt obsolète. La pellicule se voit aujourd'hui conférés
tous les attraits de *l'aura*, dont Benjamin l'avait autrefois privée, précisément
parce qu'elle est toujours en train de disparaître, de s'étioler, de mourir[11]. Les
films de Bill Morrison problématisent cette dialectique entre apparition et disparition en en faisant une spécificité du cinéma. Son œuvre nourrit et prolonge
toutes les réflexions contemporaines sur la survivance du cinéma et l'amour des
images. À l'évidence, cet amour se dit aussi en ruines.

9. « C'est ainsi qu'un véritable "imaginaire des ruines" a envahi les cinémathèques. » (Dominique Païni, « La résurgence du fragment », dans *Le cinéma, un art moderne*, Paris, Éditions des Cahiers du cinéma, 1997, p. 144)

10. Ce fétichisme est pleinement assumé, entre autre, par Paolo Cherchi Usai
quand il écrit : « *Is this fetishism ? Yes indeed, insofar as fetishism — the art of establishing
a physical relationship with the object of desire beyond the fulfilment of pleasure — can
lead to a true form of knowledge.* » (Paolo Cherchi Usai, « An Epiphany of Nitrate », dans
Roger Smither (dir.), *This Film is Dangerous*, Bruxelles, Fédération internationale des
archives du film, 2002, p. 129)

11. Le même champ sémantique a été depuis longtemps déployé pour parler du
cinéma en tant qu'art. Sans doute un travail de fond reste à être mené sur les coïnci-
dences de ces deux champs à travers l'histoire du cinéma qui analyserait les incidences
entre ces discours sur « la mort du cinéma » et les ruptures médiatiques que le cinéma
a traversées.

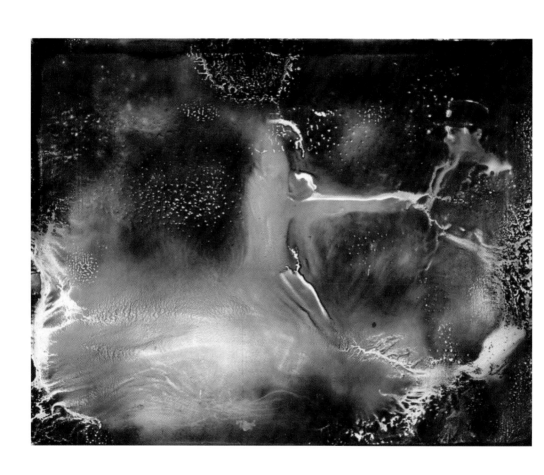

Résumés / *Abstracts*

Aimer hors chant : réinvention de l'amour et invention du « roman »

FRANCIS GINGRAS

▶ Cet article s'intéresse à la rupture du lien entre l'amour et le chant qui informait la poésie lyrique, en soulignant comment cette disjonction contribue simultanément à la reconfiguration de l'érotique des romanciers et à l'invention de la forme romanesque. Dès lors que la voix de l'amant-poète le cède à la voix narrative, la nouvelle forme « en roman » engage avec la musique un autre dialogue où l'amour change de forme et de sens. Les plus anciens textes traduits « en roman » ne sont pas seulement des témoins de ces transformations ; ils expriment la tension qui existe entre les deux modes d'expression de l'amour qui se partagent alors la littérature vernaculaire : le chant et le récit. En devenant la voix désincarnée du conteur, voire du conte lui-même, le romancier prend le risque de la *mimesis* : c'est-à-dire celui de donner un corps aux voix du désir, de les soumettre aux rythmes du temps, et donc à la mort.

▶ This article focuses on the rupture between love and song—initially constitutive of lyrical poetry—and highlights how this disjunction contributes both to the reconfiguration of the romancers' art of love and to the invention of the genre of romance. When the poet-lover's voice is replaced by the narrator's voice, the new form in the vernacular initiates a new dialogue with music, and thus entails love itself to change its form and meaning. The first texts translated in the romance language are not only witnesses of these transformations, they express the tension between the two ways that were then used to express love : song and romance. By favoring the storyteller's disincarnated voice (as opposed to the subjective I of the poet-lover), the romancer takes the risk of *mimesis* : through his characters, he gives a body to the poetical voice of desire ; he submits it to the rhythm and flow of time, and thence to the power of death.

Les inventions de *Tendre*

DELPHINE DENIS

► Du XVIᵉ au XVIIIᵉ siècle, l'émergence progressive de la notion d'intimité rend pensable une conception nouvelle de la relation interpersonnelle, dont le XVIIᵉ siècle sut prendre toute la mesure. Parmi les nombreux discours sur l'amour et l'amitié qui accompagnèrent l'institution d'une littérature moderne, le modèle de *Tendre*, imaginé par Madeleine de Scudéry dans les années 1650, se présente comme un espace de médiations multiples, investi par divers publics, actualisé dans différents supports matériels. En se penchant sur les récits d'invention qui en orchestrèrent l'élaboration, ainsi que sur les modulations esthétiques qu'il suscita, cet article voudrait en dégager les ambiguïtés et les tensions internes : fragilité indéniable du *Royaume de Tendre*, mais qui fait précisément toute la richesse de ses propositions.

► From the XVIth to the XVIIIth Century, the slow emergence of the notion of intimacy allows for a new kind of interpersonal relationships, the importance of which was fully grasped in the XVIIth Century. Amongst many discourses on love and friendship, at the wake of the modern institution of literature, the model of *Tenderness* which Madeleine de Scudéry imagined around 1650 can be seen as a multifaceted mediating pole pertaining to different publics and media. While studying the accounts of how *Tender's Kingdom* was invented and its aesthetic expressions, this paper intends to underline its ambiguities and tensions : the rich proposals of this model may be closely connected with its very fragility.

Aimer une statue : Pygmalion ou la fable de l'amour comblé

AURÉLIA GAILLARD

► L'amour pour les statues est apparemment un de ces sujets bizarres, une sorte d'hapax et une perversion : à partir de la fable de Pygmalion et de quelques autres histoires d'amours marmoréennes, je veux soutenir le paradoxe qu'aimer une statue est au contraire le scénario et la structure profonde de toute histoire d'amour comblé. Cette histoire-là d'une part démonte (ou révèle) le mécanisme de la rencontre amoureuse, d'autre part propose un grossissement des rôles et des postures de tout amoureux. La bizarrerie et la perversion seraient ainsi ce qui fonde l'acte même d'aimer : aimer, c'est toujours aimer une statue.

▶ Apparently, love for statues is one of those strange subjects, a kind of *hapax* and a perversion: stemming from the myth of Pygmalion and other stories of marble love, I wish to make the paradoxical claim that loving a statue reveals, quite on the contrary, the scenario and the deep structure of every fulfilled love story. That story, on the one hand, reveals the mechanism of falling in love and, on the other hand, amplifies the parts and attitudes of every lover. Thus, extravagance and perversion are what found the act of loving itself: loving is always loving a statue.

Aimer, s'aimer à s'y perdre ?
Les jeux spéculaires de Cahun-Moore

ANDREA OBERHUBER

185

▶ Que penser d'une jeune artiste qui se présente tantôt en Méduse ou en beauté orientale, tantôt en bouddha, en haltérophile ou en Gretchen ? Que penser de cet autoportrait dédoublé « en damier » qui fait écho au portrait d'une femme « en rayures », celui-ci également dédoublé ? Comment décoder des photomontages — tous plus énigmatiques les uns que les autres — conçus en collaboration avec cette même femme « en rayures », et qui se retrouvent intercalés dans un texte intitulé *Aveux non avenus* ? Que signifie « aimer », lorsque l'être aimé est notre *alter ego* ? Cette histoire d'amour entre soi et la projection de soi peut-elle éviter l'abîme ?

Cet article propose de réfléchir sur la notion d'« aimer » chez Claude Cahun et Suzanne Malherbe *alias* Marcel Moore, en interrogeant le côté « narcissique » et autoréflexif que révèlent la plupart des autoportraits, l'autobiographie et les photomontages, d'une part, et le désir lesbien stigmatisé à l'époque comme un « faux masque », d'autre part. Dans un deuxième temps, il s'intéressera à ce couple symbiotique que forment l'auteure-photographe Cahun et la graphiste-peintre Moore, symbiose artistique qui leur permet de créer des œuvres à leur image.

▶ How can we reflect upon a young artist who multiplies the images of herself, portraying herself as Medusa or as an oriental beauty, as a Buddha, as a weight-lifter or as a Gretchen? And how can we theorize her renowned fragmented self-portrait, self-portrait in "checkers," which echoes the portrait of another woman "in stripes," a portrait which is equally divided? And how can we decode the photomontages—each more enigmatic than the next—conceived in collaboration with this same woman "in stripes," and dispersed throughout the text entitled *Aveux non avenus*? What does it mean to "love," when the object of our affection is our own *alter ego*? Can this love story between the self and the projection of self avoid falling into the abyss?

This article reflects upon the notion of "loving" as it is elaborated by Claude Cahun: first, it will explore the issue of narcissism which is present in most of her self-portraits, her autobiography and her photomontages; it will then consider lesbian desire, stigmatized at the time as a "false mask," despite the moral liberty reigning in the salon culture of the Left Bank. Next, it will examine the symbiotic couple made-up of Cahun, author-photographer, and Moore, graphic artist-painter, and explore how such symbiosis permits them to create works that are truly their own reflection.

186

Don et image de don

MARION FROGER

▶ La critique filmique et la théorie du cinéma ont coutume de traiter l'expérience relationnelle entre les différents agents producteurs du film comme accessoire, relevant, au mieux, de la « petite histoire » du tournage. C'est à condition d'affranchir le film de son histoire propre que ce dernier peut faire l'objet d'une expérience esthétique supposant l'autonomie de l'œuvre devant le regard du spectateur. Or il me semble qu'au contraire, notamment dans le cinéma documentaire, on aurait intérêt à considérer cette « petite histoire » de plus près, pour parvenir à décrire une expérience esthétique qui reposerait sur la perception d'une figure et d'un désir de communauté tant du côté production que du côté réception. Ce qui demande de ne pas prendre en compte uniquement le point de vue du cinéaste dans la réception des films, mais aussi celui des personnes filmées. Se trouve alors en jeu une sensibilité commune à la possibilité et à l'événement d'un être-en-commun. Il sera dès lors possible de souligner la pertinence d'un nouveau paradigme, celui du don dans les rapports sociaux, pour relancer l'étude des films documentaires sur la voie d'une socio-esthétique plus attentive à leur spécificité.

▶ Film criticism and film theory usually consider the relationship between the different producing agents of a film as secondary, or, at best, as part of the "little story" of the shooting of the picture. It is as if one needed to separate the film from its own history for it to become the object of an aesthetic experience, which presupposes the autonomy of the work presented to the spectator's eye. I believe, on the contrary, in documentary films for instance, that much can be gained if we consider this "little story" more closely, since it can enable us to describe an aesthetic experience that is based on the perception of a figure of, and a desire for, community, both on the side of production and reception. This means that we should take into account the point of view not only of the director, but also of the people who are filmed, upon the reception of the film. What is at stake then is a common sensibility towards the possibility and the event of a *being-together*. We will thus be able to underline the pertinence of a new paradigm, that of the gift within social relationships, in order to rethink the study of documentary films from a socioaesthetical perspective, that will be more attentive to their specificity.

187

Liberté de l'amour

JEAN-LUC NANCY

▶ Si l'amour est, par définition, toujours libre, il est aussi un exercice de la liberté elle-même. Il s'agit alors d'examiner cette entr'appartenance de l'amour et de la liberté, afin de mieux comprendre comment la liberté renvoie au déclenchement d'une ouverture et comment l'amour désigne l'appel que cet ouverture forme et performe.

▶ If, by definition, love is always free, then it is also an exercise in freedom itself. The question is hence to examine love and liberty's mutual belonging to consequently better understand how freedom refers to the triggering of an opening, and how love designates the call that this opening forms and performs.

Notices bio-bibliographiques
Biobibliographical Notes

Delphine Denis est professeur de langue et littérature françaises du XVIIe siècle à l'Université de Paris-IV Sorbonne. Ses domaines de recherches concernent notamment l'histoire des formes et des styles sous l'Ancien Régime. Outre plusieurs éditions critiques, elle a publié, chez Honoré Champion : *La muse galante. Poétique de la conversation dans l'œuvre de Madeleine de Scudéry* (1997) et *Le Parnasse galant. Institution d'une catégorie littéraire au XVIIe siècle* (2001). Elle a récemment coordonné deux ouvrages collectifs : *L'admiration* (en collaboration avec Francis Marcoin), Arras, Artois Presses Université, 2003 et « Les langages du XVIIe siècle » et *Littératures classiques*, n° 50, printemps 2004 (en collaboration avec Anne-Elisabeth Spica). Elle dirige actuellement une équipe de recherche consacrée à la première édition critique du roman d'Honoré d'Urfé, *L'Astrée*.

Marion Froger est étudiante au doctorat en sciences de l'art à l'Université de Paris I et en littérature comparée à l'Université de Montréal. Elle a fait paraître plusieurs articles sur le cinéma québécois ainsi que sur la pensée du cinéma de Gilles Deleuze. En tant que coordonnatrice scientifique du Centre de recherche sur l'intermédialité de l'Université de Montréal, elle a notamment collaboré à la réalisation du Centre virtuel d'expérimentation intermédiatique du CRI et a dirigé les travaux pour la réalisation de son Centre de documentation électronique. Elle prépare actuellement, en codirection avec Jürgen E. Muller, une publication collective sur le thème « Médialité et socialité ».

Aurélia Gaillard est spécialiste de littérature française des XVIIe et XVIIIe siècles et s'intéresse à la question des récits et des représentations fabuleuses ainsi qu'aux relations entre les arts et la littérature. Maître de conférences à l'Université Michel-de-Montaigne-Bordeaux III, elle a notamment publié *Fables, mythes, contes — l'esthétique de la fable et du fabuleux (1660-1724)*, Paris, Éditions Honoré Champion, 1996 et *Le corps des statues — le vivant et son simulacre à l'âge classique (de Descartes à Diderot)*, Paris, Éditions Honoré Champion,

2003. Elle a également dirigé un volume collectif sur *L'imaginaire du souterrain*, Paris, Éditions L'Harmattan, 1997 et, récemment, un colloque sur *L'Année 1700* dont les actes viennent de paraître, Tübingen, Gunter Narr Verlag, Papers on French Seventeenth Century Literature, « Biblio 17 », n° 154, 2004.

Francis Gingras est professeur au département d'études françaises de l'Université de Montréal. Ses recherches actuelles portent sur le développement de la forme romanesque entre le XIe et le XIIIe siècle. Elles s'inscrivent dans la continuité du travail sur la construction de l'imaginaire érotique des premiers romanciers qu'il a développé dans son ouvrage *Érotisme et merveilles dans le récit français des XIIe et XIIIe siècles* (Paris, Éditions Honoré Champion, 2002). Il a aussi dirigé le collectif *Une étrange constance : les motifs merveilleux dans les littératures française et francophone* (à paraître aux Presses de l'Université Laval dans la collection « Symposium »). Il est actuellement président de la Société des études médiévales du Québec.

André Habib est étudiant au doctorat en littérature comparée (option cinéma) à l'Université de Montréal et sa thèse portera sur « L'imaginaire de la ruine au cinéma ». Il a soutenu en 2001 un mémoire de maîtrise à l'Université Concordia sur les *Histoire(s) du cinéma* de Jean-Luc Godard et a publié plusieurs articles autour de cette œuvre et de son auteur. Depuis 2001, il est chroniqueur et coordonnateur de la section cinéma de la revue électronique *Hors champ* et, depuis 2002, secrétaire de rédaction de la revue *Intermédialités*. Il co-dirigera avec Viva Paci un ouvrage collectif sur *Chris Marker et la technique*, à paraître dans la collection « Esthétique » des Éditions l'Harmattan.

Éric Méchoulan est professeur au département d'études françaises de l'Université de Montréal et directeur de programme au Collège international de philosophie (Paris). Spécialiste de la littérature française d'Ancien Régime, il s'intéresse plus généralement à l'histoire et à la théorie de la culture esthétique. Il a publié *Le corps imprimé : essai sur le silence en littérature* (Éditions Balzac, 1999), *Pour une histoire esthétique de la littérature* (Presses Universitaires de France, 2004), *Le livre avalé : de la littérature entre mémoire et culture (XVIe-XVIIIe siècles)* (Presses de l'Université de Montréal, 2004) et coédité avec Marie-Pascale Huglo et Walter Moser, *Passions du passé : recyclages de la mémoire et usages de l'oubli* (Éditions L'Harmattan, 2000). Il vient de diriger un numéro de la revue américaine *SubStance* consacré à Jacques Rancière (2004).

Jean-Luc Nancy a enseigné la philosophie aux Universités de Berlin, de Berkeley, de San Diego et de Californie (Irvine). Il est actuellement professeur émérite à l'Université Marc Bloch de Strasbourg. Parmi ses publications récentes, on notera *Chroniques philosophiques* (Galilée, 2004), *Fortino Samano-les débordements du poème* (avec Virginie Lalucq, Galilée, 2004), *WIR* (avec Anne Immelé, Trézélan, Filigranes éditions, 2003), *Au fond des images* (Galilée, 2003), *Noli me tangere* (Bayard, 2003) et *À l'écoute* (Galilée, 2002).

Andrea Oberhuber est professeure adjointe à l'Université de Montréal où elle enseigne la littérature française du XXe siècle, notamment l'écriture des femmes. Auteure d'un livre sur *Chanson(s) de femme(s) : Entwicklung und Typologie des weiblichen Chansons in Frankreich. 1968-1993* (Berlin, ESV, 1995) et codirectrice du collectif *Sprache und Mythos – Mythos der Sprache* (Bonn, Romanistischer Verlag, 1998), ainsi que d'un numéro thématique sur « Réécrire au féminin : pratiques, modalités, enjeux » de la revue *Études françaises* (2004), elle a publié de nombreux articles dans le domaine cantologique, mais également dans ceux de l'intermédialité et du transfert culturel. Dans le cadre d'une subvention CRSH, elle prépare un livre sur Claude Cahun, les pratiques intermédiales et l'avant-garde de l'entre-deux-guerres.

Protocole de rédaction

Les auteurs sont priés :

a) de faire parvenir une copie de leur texte par courrier électronique à l'adresse intermedialites@umontreal.ca ;

b) d'inscrire, sur la première page de leur manuscrit :
   1) le titre de l'article ;
   2) leur nom ;

c) de fournir un résumé (entre 5 et 10 lignes) de l'article, en français et en anglais ;

d) d'annexer à leur texte une notice bio-bibliographique (environ 5 lignes) indiquant leur statut professionnel et leurs principales publications ;

e) de présenter leur texte dactylographié à double interligne, en Times 12 points, justifié à gauche et à droite, à l'exception des citations qui doivent être placées en retrait de 1 cm à droite et des notes en bas de page (les éléments bibliographiques étant intégrés, au fur et à mesure, aux notes) qui devront être présentées en simple interligne ;

f) de présenter les notes et les références textuelles selon le modèle adopté par la revue ;

g) de limiter leur texte à un maximum d'une vingtaine de pages.

Pour obtenir une version détaillée du protocole de rédaction, vous pouvez vous rapporter au site de la revue.

Orientation de la revue

Intermédialités est une revue issue du Centre de recherche sur l'intermédialité de l'Université de Montréal (CRI). Les textes qui y sont publiés portent sur l'histoire et la théorie des arts, des lettres et des techniques selon les lignes d'une interrogation intermédiale ou intermédiatique. Les articles regroupés embrassent une diversité d'objets, de supports, et traversent une variété d'axes théoriques et conceptuels.

Le concept d'intermédialité se présentera dans la revue selon trois niveaux d'analyse différents. Il peut désigner, d'abord, les relations entre divers médias (voire entre diverses pratiques artistiques associées à des médias délimités). Ensuite, ce creuset de médias d'où émerge et s'institutionnalise peu à peu un média bien circonscrit. Enfin, le milieu en général dans lequel les médias prennent forme et sens : l'intermédialité est alors immédiatement présente à toute pratique d'un médium. L'intermédialité sera donc analysée en fonction de ce que sont des « milieux » et des « médiations », mais aussi des « effets d'immédiateté », des « fabrications de présence » ou des « modes de résistance ».

La revue, entendant mettre en valeur des pratiques intermédiales actuelles, accorde une place importante à la production artistique. Chaque numéro reçoit la collaboration d'un ou de plusieurs artistes dont une œuvre ou une série d'œuvres inédites sont regroupées dans un dossier qui informe à la fois le sujet spécifique du numéro et les axes de réflexion de la revue.

Politique éditoriale

La revue *Intermédialités* publie deux numéros par année, et regroupe, à chacun de ses numéros, des textes inédits, en français et en anglais, abordant tous un même sujet. Chaque article publié est accompagné d'un résumé en anglais et en français. Les auteurs qui soumettent un texte à la revue sont tenus de respecter le protocole de rédaction.

Les articles de la revue sont évalués de façon anonyme par deux membres compétents du comité de lecture, puis par le comité de rédaction, à qui revient la responsabilité finale de l'acceptation ou du rejet de l'article.

Déjà parus

n° 1 « Naître », printemps 2003

n° 2 « Raconter », automne 2003

n° 3 « Devenir-Bergson », printemps 2004

Numéros à paraître

n° 5 « Transmettre », printemps 2005

n° 6 « Remédier », automne 2005

intermédialités

HISTOIRE ET THÉORIE DES ARTS, DES LETTRES ET DES TECHNIQUES

Déjà parus

n° 1 « Naître », printemps 2003

n° 2 « Raconter », automne 2003

n° 3 « Devenir-Bergson », printemps 2004

n° 4 « Aimer », automne 2004

À paraître

n° 5 « Transmettre », printemps 2005

n° 6 « Remédier », automne 2005

	Canada*	Étranger*
Numéro **individuel**	16 $ CAN	22 $ CAN
Abonnement **(4 numéros)**		
Étudiant	35 $ CAN	50 $ CAN
Individuel	50 $ CAN	65 $ CAN
Institutionnel	80 $ CAN	100 $ CAN

❏ Je désire obtenir le numéro _____ de la revue *Intermédialités*.

❏ Je désire m'abonner à la revue *Intermédialités* pour deux ans à partir de l'année _____

Nom : _____

Adresse : _____

Institution : _____ Téléphone : _____

Adresse électronique : _____ N° de l'étudiant : _____

Paiement ci-joint _____ $ CAN

Chèque** ❏   Mandat-poste** ❏

Carte de crédit :   VISA ❏   Master Card ❏

N° de la carte : |_|_|_|_|_|_|_|_|_|_|_|_|_|_|_|_|

Date d'expiration : _____

Signature : _____

* Ces montants incluent les frais de transport.

** Chèque ou traite sur une banque canadienne, en dollars canadiens ; mandat-poste en dollars canadiens. Veuillez établir chèques et mandats-poste à l'ordre de **Revue Intermédialités**.

Prière d'envoyer le formulaire à : Fides – Service des abonnements 358, boul. Lebeau, Saint-Laurent, (Québec) Canada H4N 1R5. Tél. : (514) 745-4290 • Téléc. : (514) 745-4299 • Courriel : andres@fides.qc.ca

Pour toute autre information : CRI, Revue Intermédialités, Université de Montréal, C.P. 6128 succursale Centre-ville, Montréal (Québec), Canada H3C 3J7
Site : http://cri.histart.umontreal.ca/intermedialites
Courriel : intermedialites@umontreal.ca • Tél. : (514) 343-2438 • Téléc. : (514) 343-2393

Revue de la Société québécoise d'études théâtrales (SQET) et du Centre de recherche en civilisation canadienne-française de l'Université d'Ottawa (CRCCF), publiée deux fois l'an (en mai et en novembre), *L'Annuaire théâtral* pense le théâtre sous de nouveaux éclairages et privilégie l'histoire contemporaine tout en la contextualisant à la lumière des grandes traditions scéniques et dramaturgiques. Chacun des deux numéros annuels d'environ 190 pages comporte un dossier principal ainsi qu'une section consacrée à des études variées. Des notes de lecture sur des parutions récentes (monographies et périodiques spécialisés) complètent le sommaire.

N° 34 « En marge de la scène : le paratexte »
N° 35 « Jean-Pierre Ronfard : l'expérience du théâtre »

ABONNEZ-VOUS DÈS MAINTENANT

(1 an, 2 numéros, taxes incluses)

	Québec/Canada	À l'étranger
Individu	30 $	35 $
Étudiant*	25 $	30 $
Institution	40 $	45 $

* Une copie de la carte d'inscription est exigée.

Nom : _____

Adresse : _____

Code postal : _____ Signature : _____

PROCHAIN NUMÉRO

N° 36

L'ACTION

AUTOMNE 2004

Veuillez faire votre chèque ou mandat-poste à l'ordre de l'Université d'Ottawa / *L'Annuaire théâtral* et le faire parvenir avec le bon de commande à l'adresse suivante :

L'Annuaire théâtral
CRCCF, rue Jean-Jacques-Lussier, pièce 271
Ottawa (Ontario) K1N 6N5
Tél. : (613) 562-5877
Téléc. : (613) 562-5143
Courriel : annuaire@uottawa.ca

REVUE D'ÉTUDES CINÉMATOGRAPHIQUES   JOURNAL OF FILM STUDIES

CiNéMAS

Histoires croisées des images. Objets et méthodes.

**Prochaine publication : Volume 14, nos 2-3.
Sous la responsabilité d'Édouard Arnoldy**

SOMMAIRE/CONTENTS

www.revue-cinemas.umontreal.ca

AGMV Marquis

MEMBRE DE SCABRINI MEDIA

Québec, Canada
2004